# SYMBOLISME
## ET
# INTERPRÉTATION

# DU MÊME AUTEUR

AUX MÊMES ÉDITIONS

Introduction à la littérature fantastique
*(coll. Poétique et coll. Points)*

Poétique de la prose
*(coll. Poétique)*

Dictionnaire encyclopédique des sciences du langage
*(avec O. Ducrot)*

Poétique
*(coll. Points)*

Théories du symbole
*(coll. Poétique)*

Les Genres du discours
*(coll. Poétique)*

CHEZ D'AUTRES ÉDITEURS

Littérature et Signification
*(Larousse)*

Grammaire du Décaméron
*(Mouton)*

TZVETAN TODOROV

# SYMBOLISME
# ET
# INTERPRÉTATION

ÉDITIONS DU SEUIL
27, rue Jacob, Paris VIe

CE LIVRE
EST PUBLIÉ DANS LA COLLECTION
## POÉTIQUE
DIRIGÉE PAR GÉRARD GENETTE
ET TZVETAN TODOROV

ISBN 2-02-004999-6

Il est aussi mortel pour l'esprit
d'avoir un système que de n'en
point avoir. Il doit donc bien se
décider à réunir les deux.

*Friedrich Schlegel*

# Le symbolisme linguistique [1]

## Langue, discours

La distinction entre *langue* et *discours* apparaît facilement aux yeux de quiconque réfléchit sur la nature du langage. La langue existe en abstraction avec, comme éléments de départ, un lexique et des règles de grammaire, et comme produit final, des *phrases.* Le discours est une manifestation concrète de la langue, et il se produit nécessairement dans un contexte particulier, où entrent en ligne de compte non seulement les éléments linguistiques mais aussi les circonstances de leur production : interlocuteurs, temps et lieu, rapports existant entre ces éléments extralinguistiques. On n'a plus affaire à des phrases, mais à des phrases énoncées, ou, plus brièvement, à des *énoncés.*

Un (petit) pas de plus consiste à supposer que la signification — en donnant à ce terme son acception la plus large — ne surgit pas de la même façon en langue et en discours, dans les phrases et dans les énoncés, mais qu'elle y prend des formes nettement différentes — à tel point différentes qu'elles mériteraient des noms distincts. Beauzée opposait ainsi *signification* (pour la langue) et *sens* (pour le discours), Benveniste, plus récemment, parlait de *signifiance* et *sens.* La signification de la phrase subit un double processus de détermination lors de sa transformation en sens de l'énoncé : elle perd de son ambiguïté et ses références

1. Je voudrais reconnaître ici ma dette à l'égard de deux amis : Dan Sperber, dont les remarques m'ont amené à modifier plusieurs de mes positions antérieures; et Marie-Claude Porcher, qui m'a permis de me familiariser, tant soit peu, avec la poétique sanscrite.

au contexte se particularisent. La phrase « Jean sera ici dans deux heures » a bien une signification dans la langue, compréhensible à tout sujet parlant français; c'est cette signification qu'on peut traduire en d'autres langues, sans qu'aucune information supplémentaire soit nécessaire. Mais dès lors que cette phrase devient un énoncé, elle commence à se référer à une personne, à un temps, à un lieu, qui peuvent ne pas être les mêmes lors d'une autre énonciation de la même phrase. De même, les mots et les propositions acquièrent, au sein d'un discours, un sens plus particulier que celui qu'ils ont en langue; ainsi ai-je pu, un peu plus haut, parler du « sens » au sens de Beauzée ou de Benveniste.

Quelques aphorismes célèbres peuvent aider à rappeler l'ancienneté de l'opposition entre « signification » (ou « signifiance ») et « sens », en même temps qu'à la préciser. Alexander Pope écrivait : « J'admets qu'un lexicographe pourrait peut-être connaître le sens du mot en lui-même, mais non le sens de deux mots reliés. » Et Cicéron, bien longtemps avant lui : « Les mots ont une première valeur pris isolément, une seconde unis à d'autres. Pris isolément, il faut les bien choisir; unis à d'autres, les bien placer. » Et Montaigne : « J'ay un dictionnaire tout à part moy. »

Ces trois citations concernent une même distinction, à première vue semblable à celle qui nous préoccupe ici : les mots sont envisagés isolément ou en groupe. Cela est affirmé par les deux premiers textes, et impliqué par le troisième : il existe bien un dictionnaire commun, mais les mots qui le composent prennent des valeurs spécifiques au sein d'un discours individuel. Cicéron ajoute à cela une observation touchant le processus psychique de production : sur le plan du vocabulaire, l'opération dominante est la sélection d'entités lexicales; dans les phrases, leur combinaison. La formule de Montaigne est évidemment paradoxale : si son dictionnaire était, comme il le prétend, entièrement individuel, coupé de celui des autres usagers de la langue, comment pourrait-il nous communiquer cette information même? Mais on voit bien que seule l'expression de la pensée est paradoxale, faute de deux termes désignant la signification, l'un dans la langue, l'autre, dans le discours. Mais, au-delà de ces

nuances entre nos trois auteurs se dessine aussi clairement leur
unité : on voit bien que la distinction par eux visée est seulement
apparentée à celle entre langue et discours, sans la recouvrir
exactement, et cette non-coïncidence caractérise bien une certaine conception classique du langage. Pour tous les auteurs,
la frontière importante passe entre mots et phrases, non entre
langue et discours; ou, si l'on préfère, la langue se trouve réduite
aux mots (de même pour Saussure il n'y aura pas de phrases
dans la « langue »). Pour nous, les mots et les phrases s'opposent
en bloc aux énoncés.

## Sens direct et indirect

Tout cela relève un peu de l'évidence; mais il était nécessaire
de le rappeler avant d'aborder mon objet propre. A savoir,
qu'on peut utiliser et interpréter chaque énoncé d'une façon
tout autre. Plutôt que de vouloir dire : Jean sera ici dans deux
heures (quels que soient Jean, l'ici et le maintenant), je peux formuler le même énoncé pour transmettre une tout autre information, par exemple : « Nous devons quitter ce lieu d'ici là. »
Une telle interprétation n'est possible que lors d'une énonciation particulière et dans un contexte concret; nous restons donc
dans le domaine du discours et des énoncés. Mais alors que le
« sens » propre au discours et discuté plus haut mériterait le
nom de *direct*, celui-ci est un sens discursif *indirect* qui se greffe
sur le précédent. C'est au champ des sens indirects que je réserve
aussi le nom de *symbolisme linguistique*, et à leur étude, de
*symbolique du langage*. Et que le préfixe négatif dans « indirect »
ne fasse pas penser à un phénomène marginal, appendice
sporadique du sens direct : la production indirecte de sens
est présente dans tous les discours, et probablement domine-
t-elle entièrement certains d'entre eux, et pas des moins
importants : ainsi la conversation quotidienne ou la littérature.
Pour trouver dans le passé une réflexion à la fois globale et
nuancée sur les problèmes de l'usage indirect du langage, on

doit sortir du cadre de référence occidental, et se tourner vers la tradition indienne (sous le patronage de laquelle j'aurais aimé placer les pages qui suivent). Quelque part au XII<sup>e</sup> siècle, le poéticien sanscrit Mammaṭa *(Kāvyaprakāśa)* résume ainsi les idées courantes en son temps — suscitées par l'ouvrage fondamental d'Ānandavardhana, sans doute le plus grand théoricien du symbolisme textuel. Il distingue sept différences entre l'expression directe et la suggestion indirecte :

1. Différence dans la nature de l'assertion : l'exprimé, par exemple, prohibe ou nie, tandis que le suggéré ordonnera ou affirmera.

2. Différence de temps : le suggéré est appréhendé après l'exprimé.

3. Différence de support linguistique : l'exprimé émane des mots, le suggéré peut naître d'un son, d'une phrase ou d'un ouvrage entier.

4. Différence de moyens d'appréhension : l'exprimé est compris grâce aux règles grammaticales, le suggéré requiert, en outre, un contexte : circonstances spatio-temporelles, interlocuteur, etc.

5. Différence d'effet : l'exprimé apporte une perception cognitive pure et simple; le suggéré produit aussi du charme.

6. Différence de nombre : l'exprimé est univoque; le suggéré peut être plurivoque.

7. Différence dans la personne interpellée : le sens exprimé peut très bien s'adresser à un personnage, le sens suggéré à un autre.

Ces différences ne se situent pas toutes, pour nous, sur le même plan. L'une d'entre elles (différence 4) concerne non l'opposition entre évocation directe et évocation indirecte, mais celle entre langue et discours : tout discours, qu'il soit ou non suggestif, implique une référence au contexte d'énonciation. D'autres sont de simples spécifications de la différence de principe expression-suggestion : l'interlocuteur peut ne pas être identique (7), non plus que l'assertion (1). Une autre encore concerne l'effet produit par l'énoncé, et non sa structure (5). Mais les trois oppositions restantes décrivent bien les propriétés du processus symbolique : différence dans les *dimensions linguis-*

*tiques;* différence dans le *nombre de sens;* enfin différence dans l'*ordre d'apparition* : l'indirect se greffe, par définition, sur le direct, il présuppose une antériorité, et donc une temporalité. Réciproquement, affirmer la postériorité du symbolique, c'est le définir comme étant l'indirect. Les pages qui suivent seront consacrées à l'examen de ces différents aspects et phases du processus symbolique.

## *Deux refus du symbolique*

Mais avant d'entrer dans le détail de la description concrète, il convient d'envisager plusieurs questions générales. Et de se demander d'abord s'il ne faut pas plutôt donner raison à ceux qui refusent l'existence même d'une opposition entre sens direct et sens indirect.

L'opposition a, en effet, été contestée, parfois implicitement, à partir de deux points de vue très différents. Le premier est, en gros, celui des linguistes (avec, bien entendu, quelques exceptions, et quelques tendances au changement ces dernières années): c'est un refus par non-reconnaissance. Les ouvrages de théorie linguistique ou sémantique se contentent, dans le meilleur des cas, de signaler qu'ils ne se préoccuperont pas des cas marginaux de l'usage linguistique, tels que la métaphore, l'ironie ou l'allusion. Cette position serait défendable si elle reposait sur une distinction entre langue et discours, et donc sur l'appel, au moins, à une analyse du discours; mais il n'en est rien. La justification de ce refus tient aux principes d'un empirisme d'abord caricaturalement simplifiés, ensuite assimilés sans réserve : n'existe (ou, en tous les cas, ne compte) que ce qui est perceptible, ce qui est directement offert aux sens — donc, pas le sens indirect.

L'autre critique inverse les choses : il n'y avait à l'instant que du direct, il n'y aura plus maintenant que de l'indirect. Partis probablement du refus romantique des hiérarchies, seraient-elles au sein du langage, un Nietzsche ou ses descendants contemporains diront qu'il n'y a pas de sens propre, que tout est métaphore; il n'y a que des différences de degré, non de nature, Les mots ne saisissent jamais l'essence des choses, mais les évoquent seulement indirectement. Cependant, si tout est métaphore, rien ne l'est. Et ces deux critiques, parties de points de vue si opposés, se rejoignent, curieusement, dans leur conclusion, qui est le refus de la spécificité, et donc de l'existence, du symbolisme linguistique. La géométrie de la signification est réduite, ici et là, à une seule dimension.

Si je refuse, à mon tour, ces deux points de vue opposés, si je persiste à croire en l'existence des faits symboliques, ce n'est pas parce que je me considère comme le détenteur d'une vérité philosophique supérieure à l'empirisme des uns, au dogmatisme des autres — mais plutôt parce que mon intuition de sujet engagé dans l'échange verbal ne m'autorise pas à assimiler deux instances aussi différentes que celle où je dis « il fait froid ici » pour signifier qu'il fait froid ici, et celle où j'énonce la même phrase pour faire entendre qu'il faut fermer la fenêtre. Ou encore, lorsque la phrase : « Vous êtes mon lion superbe et généreux » est adressée par une lionne (qui parle) à son époux, et lorsque la même phrase vient dans la bouche d'une femme, et s'adresse à Hernani. Être capable de constater cette différence me paraît un trait inhérent à l'être humain; tâcher de la comprendre, l'objectif de toute théorie du symbolisme linguistique.

## Linguistique et non-linguistique

J'ajoute toujours l'adjectif *linguistique* au substantif « symbolisme » parce que je pense, avec bien d'autres, qu'il existe un symbolisme non linguistique. Pour être plus précis : le phénomène symbolique n'a rien de proprement linguistique, il n'est que porté par le langage. Les sens seconds ou indirects sont évoqués par association; on le savait bien dans l'Antiquité, puisqu'on classait tropes et associations de la même manière; or l'association est un processus psychique qui n'est certes pas spécifiquement linguistique : on associe aussi bien des objets ou des actions, et une situation peut être symbolique, tout comme un geste. Il n'existe pas un « sens métaphorique » dans la langue, qui serait d'une espèce bien particulière, irréductible à la fois au sens linguistique en général et à des processus translinguistiques comme l'association : les sens évoqués indirectement sont des sens comme les autres, ils ne diffèrent que par leur mode d'évocation, qui est précisément l'association du présent à l'absent. Schleiermacher l'avait déjà bien vu : « Les mots pris au sens figuré gardent leur signification propre et exacte, et n'exercent leur effet que par une association d'idées sur laquelle compte l'écrivain. »

On pourrait cependant tenir le raisonnement suivant : il suffirait de concéder la non-spécificité de la signification — admet-- tre, donc, qu'elle n'est qu'une association entre signifiant et signifié — pour être autorisé ensuite à reverser, dans un mouvement de contre-offensive, tout ce que nous savons de la signification sur le domaine du symbolisme; et, tout en admettant l'existence d'un symbolisme non linguistique, voir tout le symbolique à l'image du linguistique. C'est, je crois, le raisonnement, peut-être implicite, qui se trouve à la base de la récente expansion de la « sémiotique ». Mais on perd doublement à une telle assimilation. Car la signification n'est pas une association comme les autres : l'association implique la possibilité de concevoir de façon autonome chacune des entités associées; or le signifiant n'existe que parce qu'il a un signifié, et inversement; ce ne sont pas deux entités existant chacune librement, qu'on décide de relier à partir d'un moment; on s'interdit donc la connaissance exacte de la signification linguistique à vouloir en faire une association. En même temps, on occulte la spécificité des processus symboliques en leur imposant la catégorisation (ou, cas plus bénin, la terminologie) propre au langage et à la signification; car même si l'on a fait une concession initiale, en mettant de l'eau symbolique dans le vin de la signification, on n'en projette pas moins, ensuite, les traits spécifiques du langage sur un domaine bien distinct, celui du symbolisme. Parler à tout propos de « langage » et de « signification » ne peut donc se faire que si l'on vide ces termes de leur contenu spécifique (et seul intéressant).

15

*Signe, symbole*

Cela nous ramène au couple problématique du *signe* et du *symbole*. On pourrait d'abord s'interroger sur la justesse des descriptions qu'on en a données.

La théorie la plus répandue, de Platon à Saussure, ne voit la différence que dans la *motivation*, ici présente, là absente ; le signifiant ressemble, ou ne ressemble pas, au signifié. Mais on ne peut parler de motivation (c'est-à-dire d'une espèce d'association) dans le cas de la signification linguistique ; on compare donc l'incomparable ; de plus, la motivation peut être plus ou moins présente, plus ou moins oubliée : cela n'empêche pas un symbole de rester tel.

Une autre théorie, d'origine également ancienne mais devenue populaire surtout depuis les Romantiques (le couple est souvent ici « symbole » et « allégorie », celle-ci prenant la place du « signe »), voit la différence dans le caractère *inépuisable* du symbole, le caractère clair et univoque du signe (ou de l'allégorie). Dans ce cas, on fait d'une des conséquences du processus, la description du processus même : l'association peut en effet se prolonger indéfiniment, à l'inverse du caractère clos du rapport signifiant-signifié ; mais pour comprendre ce fait, il faut d'abord voir qu'il y a association, greffée (ou non) sur la signification.

L'idée donc du signe direct, du symbole indirect, idée elle-même fort ancienne puisque c'était celle de Clément d'Alexandrie et de saint Augustin, permet de mieux comprendre les faits. Mais on pourrait se demander s'il y a une utilité quelconque à former même ce couple, pour autant qu'on implique ainsi une entité préexistante qui se séparerait ensuite en signe et en symbole. Les deux notions ne se situent pas sur le même plan, et restent en fait incomparables. La sémiotique n'a pas de raison d'exister, je le crains, si elle doit être le cadre commun de la sémantique (du langage) et de la symbolique : on ne fait pas *une* chose nouvelle en réunissant, par exemple, le soleil et les plantes ; « sémiotique » ne me paraît donc acceptable que dans la mesure où il est synonyme de « sy.nbolique ».

## Linguistique, symbolique

Revenons en arrière : pourquoi persister à étudier le symbolisme *linguistique*, plutôt que le symbolisme tout court, en donnant ainsi une importance peu justifiée à ce qui n'est qu'un mode de transmission parmi d'autres? La réponse est, pour moi, double. D'abord parce que les connaissances dont nous disposons déjà sur le symbolisme verbal sont d'une richesse incomparable par rapport à celles qui concernent les autres formes de symbolisme. (Connaissances il est vrai dispersées dans des domaines aussi variés que la logique et la poétique, la rhétorique et l'herméneutique.) Ensuite, parce que le symbolisme linguistique est le plus facile à manier (des mots sur une page, de préférence à des animaux de cirque ou aux mœurs d'une société) tout en étant, probablement, la manifestation la plus complexe du symbolisme. Raisons donc stratégiquement importantes mais qui ne doivent pas masquer la contingence de la jonction entre « symbolisme » et « linguistique ».

L'association, qu'on ne trouvait pas dans la signification, n'est pourtant pas absente du linguistique (en dehors même des faits de symbolisme); il faut la chercher non dans les rapports entre signifiant et signifié mais dans ceux entre les mots ou entre les phrases : des rapports de coordination et de subordination, de prédication et de détermination, de généralisation et d'inférence. L'idée d'un cadre commun pour l'étude des faits discursifs de ce genre et des faits symboliques comme les tropes ou l'allusion, même si elle n'est pas souvent explicitement affirmée, n'est pas moins présente dans la tradition : Aristote classe les tropes exactement de la même façon que les syllogismes; la théorie classique des « idées accessoires » (depuis la *Logique* de Port-Royal jusqu'à Condillac, en passant par Du Marsais) permet de traiter sur le même plan le rapport entre sujet et prédicat, d'une part, sens propre et sens figuré, de l'autre. Les différences existent, bien entendu, et découvrir un cadre commun, cela veut dire aussi les situer avec plus de précision : elles viennent toutes du fait que les *deux* termes associés sont présents dans le discours, alors qu'*un seul* d'entre eux l'est dans l'évocation symbolique;

en conséquence — je le dis sans trop espérer qu'on adoptera uni versellement mon usage —, le récepteur *comprend* les discour mais *interprète* les symboles.

## Symbolisme et interprétation

Je voudrais en effet poser la *solidarité du symbolique et de l'interprétation* (comme le fait aussi Ricœur), lesquels ne sont pour moi que deux versants, production et réception, d'un même phénomène. Je ne crois pas en conséquence que leur étude isolée soit souhaitable ni même possible. Un texte ou un discours devient symbolique à partir du moment où, par un travail d'interprétation, nous lui découvrons un sens indirect. Schelling écrivait : « Le charme de la poésie homérique et de toute la mythologie repose à vrai dire sur ce qu'elles contiennent aussi la signification allégorique comme *possibilité* — on pourrait aussi allégoriser tout. » On pourrait, et cela est essentiel. Mais on n'allégorise pas tout pour autant; on exige, en principe, que le texte lui-même nous indique sa nature symbolique, qu'il possède une série de propriétés repérables et incontestables, par lesquelles il nous induit à cette lecture particulière qu'est l'« interprétation ». Nous commençons par la réponse, la réaction interprétative, mais nous remontons à la question, posée par la symbolicité du texte même.

La production et la réception des discours ont donné naissance, dans le passé, à deux disciplines différentes, qui sont la rhétorique et l'herméneutique. Heureusement, ces deux corps de savoir ne se sont pas toujours maintenus dans un isolement déplorable. Le verbe *herméneuein* désigne à l'origine autant, sinon plus, l'activité de production des discours que celle de leur compréhension. C'est à partir des catégories de la rhétorique cicéronienne que saint Augustin déploie la première grande herméneutique chrétienne. Et c'est par un geste exactement symétrique que, treize siècles plus tard, Du Marsais inaugure la dernière brillante période de la rhétorique, en reversant les catégories herméneutiques élaborées entre-temps dans le cadre rhétorique (comme si le passage entre profane et sacré s'accompagnait nécessairement de celui entre production et réception). Le fondateur de l'herméneutique générale, Schleiermacher, affirmera explicitement l'unité des deux disciplines : « La parenté de la rhétorique et de l'herméneutique consiste en ce que tout acte de compréhension est l'inversion d'un acte de parole. » (Son contemporain Ast écrivait aussi : « Comprendre et expliquer une œuvre est une véritable reproduction ou reconstruction du déjà construit. ») Les *types* du discours, ou choix parmi toutes les possibilités offertes à la production textuelle, ont leur pendant dans les *stratégies* interprétatives, ou manières de lire, codifiées par les différentes écoles exégétiques. F. A. Wolf remarquait que « l'explication du poète a des règles différentes de celles du prosateur »; F. Schlegel se demandait : « Y a-t-il aussi une philologie épique, lyrique, dramatique? »; et Schleiermacher lui-même fondait, sur la base des différentes attitudes que l'on prend à l'égard des textes, une véritable typologie des discours, allant du lyrique au scientifique en passant par l'épistolaire, le didactique et l'historique.


*Deux niveaux de généralité*

Mon exposé se divise en deux parties, *Symbolique du langage* et *Stratégies de l'interprétation*. Non du fait de ces deux points de vue, symbolisme et interprétation, qu'on trouvera, au contraire, solidaires partout. Mais en fonction de deux niveaux : celui de la *théorie générale*, qui essaie de rendre compte de tous les possibles, et celui de la *stratégie particulière*, de production ou de réception (même si je m'attache surtout à cette dernière), « stratégie » qui consiste justement à choisir, en fonction de certains critères, parmi toutes les possibilités qui s'offrent à nous, à tout instant. La question des stratégies sera examinée longuement dans la seconde partie; qu'ils me suffise ici d'indiquer, par deux exemples auxquels je ne reviendrai plus, en quoi consiste la différence de niveau, et pourquoi certaines distinctions doivent être intégrées au niveau de la stratégie plutôt que de la théorie générale.

Leo Strauss écrit au début d'un de ses essais (dans *Persecution and the Art of Writing*) :

> Comprendre les mots d'un autre homme, vivant ou mort, peut vouloir dire deux choses différentes, que pour l'instant nous appellerons interprétation et explication. Par interprétation, nous voulons désigner la tentative d'affirmer ce que le locuteur a dit et la façon dont il a en fait compris ce qu'il a dit, qu'il ait exprimé ou non cette compréhension de manière explicite. Par explication, nous voulons désigner la tentative d'affirmer les implications de ses assertions, dont il ne se rendait pas compte lui-même. En conséquence, établir qu'un énoncé est ironique ou mensonger appartient à l'interprétation de l'énoncé, alors qu'établir qu'un énoncé est fondé sur une erreur, ou est l'expression inconsciente d'un désir, d'un intérêt, d'un préjugé ou d'une situation historique, appartient à son explication.

La distinction importante pour Strauss ne passe pas entre sens direct et indirect, puisque tous deux sont du côté de ce qu'il appelle « interprétation », mais entre deux formes de sens indirect : celui que l'auteur vise et celui qui reste pour l'auteur inconscient (cette dernière lecture ressemble fort à ce que Louis Althusser allait appeler plus tard « lecture symptomale »). Un autre théoricien de l'interprétation, E. D. Hirsch, écrit pour sa part (dans *Validity in Interpretation*) :

> Le *sens* est ce qui est représenté par le texte, ce que l'auteur voulait dire par son usage d'une séquence particulière de signes; c'est ce que les signes représentent. La *signifiance*, de l'autre côté, désigne une relation entre ce sens et une personne, ou une conception, ou une situation, ou toute autre chose imaginable.

Le « sens » est le sens interne de l'œuvre, qui inclut aussi bien sens direct que sens indirect (c'est bien intentionnellement que l'auteur use de métaphores, d'ironies et de sous-entendus), alors que la « signifiance » résulte de l'inclusion de l'œuvre dans un autre contexte. Ici encore, donc, la distinction sépare deux

20

formes de ce que j'appelle sens indirect, l'une centripète, l'autre centrifuge.

De telles distinctions peuvent être plus ou moins bien fondées, conduire à des résultats plus ou moins intéressants. Ce qui m'importe dans la présente perspective, est qu'elles se situent d'emblée sur un plan autre que celui auquel j'ai choisi de me placer. Qu'elles prennent le point de vue de la production (Hirsch) ou de la réception (Strauss), elles introduisent, dans le champ de la morphologie des formes symboliques ou interprétatives, des normes qui leur sont extérieures ; qui permettent, par projection, de distinguer entre espèces de sens ou de compréhension ; et qui enfin, de façon pas toujours explicite mais non moins importante pour autant, induisent à des jugements de valeur : on sent bien que l'« explication » a plus de valeur que l'« interprétation » aux yeux de Leo Strauss, tout comme le « sens » est plus digne de respect pour E. D. Hirsch que ne l'est la « signifiance ».

*Mon ambition*

Mon ambition, dans les pages qui suivent, est de montrer pourquoi plusieurs interprétations sont possibles, et comment elles fonctionnent, plutôt que de valoriser certaines d'entre elles ou même de les grouper en rapport à telle ou telle norme : plutôt que normatif, j'essaie de rester, dans la mesure du possible, descriptif. Je n'ai pas une « théorie du symbole » ou une « théorie de l'interprétation » nouvelle à proposer (peut-être à force d'avoir lu celles des autres). J'essaie d'établir un cadre qui permette de comprendre comment tant de théories différentes, tant de subdivisions irréconciliables, tant de définitions contradictoires ont pu exister — en comportant chacune, ce sera mon hypothèse, une part de vérité, mais qui ne s'est affirmée qu'au prix d'une mise entre parenthèses d'autres aspects du même phénomène. Je n'essaie pas de décider de ce que c'est qu'un symbole, de ce que c'est qu'une allégorie, ni comment trouver la bonne interprétation ; mais de comprendre, et si possible de maintenir, le complexe et le pluriel.

# 1. La symbolique du langage

La parenté de la rhétorique et de l'herméneutique consiste en ce que tout acte de compréhension est l'inversion d'un acte de parole.

*Friedrich Schleiermacher*

# La décision d'interpréter

*Accommodation, assimilation*

Tout processus psychique, dit-on, comporte deux phases ou deux aspects, ceux que Piaget désigne par *accommodation* et *assimilation.* Le psychisme humain, à tout moment, est riche de certains schèmes qui lui sont propres et, lorsqu'il se trouve confronté à des actions et des situations qui lui sont étrangères, il réagit, d'une part, en adaptant les schèmes anciens à l'objet nouveau (c'est l'accommodation), d'autre part, en adaptant le fait nouveau aux schèmes anciens (et c'est l'assimilation).

Le processus interprétatif comporte également ces deux phases (qui se suivent ici dans un ordre fixe). D'abord on doit distinguer la séquence verbale pour laquelle est nécessaire une interprétation; cette perception de la différence est elle-même conditionnée par le fait que la séquence ne se laisse pas absorber par les schèmes disponibles; on reconnaît donc, dans un premier temps, le fait nouveau, en s'adaptant à lui (accommodation). Ensuite, on résorbe cette nouveauté et cette non-intégrabilité, en les soumettant, précisément, à l'interprétation; c'est-à-dire en associant, jusqu'à ce que la séquence verbale devienne conforme à des schèmes déjà construits (assimilation). C'est ce que savaient bien les poéticiens sanscrits, dont la position est ainsi résumée par Mammaṭa : il faut *d'abord* que se manifeste une incompatibilité entre le sens premier du mot et le contexte. Il faut *ensuite* qu'existe une relation d'association entre sens premier et sens second.

Je suivrai, dans mon exposé, cette bipartition, en consacrant ce chapitre à la première phase : aux *conditions nécessaires pour que soit prise une décision d'interpréter*; et en étudiant dans les chapitres suivants les aspects essentiels de l'association symbolique elle-même.

### Principe de pertinence

Pour rendre compte de l'enclenchement du processus interprétatif, on doit poser au départ que la production et la réception des discours (des énoncés donc, et non des phrases) obéissent à un très général *principe de pertinence*, selon lequel si un discours existe, il doit bien y avoir une raison à cela. De telle sorte que, quand à première vue un discours particulier n'obéit pas à ce principe, la réaction spontanée du récepteur est de chercher si, par une manipulation particulière, ledit discours ne pourrait pas révéler sa pertinence. « Interprétation » (toujours au sens étroit) est le nom que nous donnons à cette manipulation.

Ce sont les philosophes du langage qui ont récemment attiré l'attention sur l'existence d'un tel principe, même s'ils s'en sont tenus habituellement à des cas particuliers d'échange verbal, plutôt que de viser la totalité de la production discursive. Paul Grice, analysant la « logique de la conversation », a suggéré que celle-ci obéit à un principe de coopération, qu'on peut formuler ainsi : « Rendez à tout moment votre contribution à la conversation conforme au but ou à la direction acceptés de l'échange verbal dans lequel vous êtes engagé. » Si *A* demande à *B* comment va le travail de *C* à la banque, et que *B* réponde : « Ça va, il n'est pas encore en prison », c'est une réponse non pertinente. Mais, comme il n'y a aucune raison que *B* viole le principe de coopération, *A* cherchera ce qui peut rendre cette réponse pertinente, et il trouvera un complément : « bien que *C* soit malhonnête ». On reconnaît là la technique de l'allusion; ce qui nous pousse à chercher celle-ci est bien une certaine incohérence dans la suite des propos.

C'est le même processus que décrit Oswald Ducrot, s'interrogeant non plus sur le rapport de deux propos successifs, mais sur l'énoncé isolé.

Le thème central de ces lois, dans notre collectivité linguistique, est que la parole est motivée, qu'on ne parle pas pour parler — ce qui est réputé un travers —, ni pour accomplir un rite — ce qui est réputé une superstition —, mais parce qu'il y a une utilité à le faire, qui peut être celle du locuteur, du destinataire ou d'un tiers quelconque. (...) D'où la possibilité, perpétuellement ouverte, de mettre et de chercher, dans tout discours, des « allusions ». Faire à Paul l'éloge de Pierre, cela peut toujours « avoir l'air » de donner Pierre en modèle à Paul. Signaler l'heure à quelqu'un, cela peut revenir (vu qu'on ne parle pas « pour rien ») à lui demander de s'en aller... *(Dire et ne pas dire)*.

Le principe de pertinence dont je parle n'est qu'une généralisation de ce que Grice appelle la coopération, et Ducrot, la motivation.

Il n'est pas toujours facile, cependant, de définir la nature de la pertinence. Grice et Ducrot se réfèrent à des réactions « naturelles » : universelles et éternelles. Cela reste sans doute vrai pour le principe lui-même; mais le contenu des normes de la pertinence est variable, en fonction du cadre idéologique dans lequel on se situe. S'il est relativement facile de se mettre d'accord sur ce qui est non pertinent (et qui par conséquent appelle l'interprétation), il est en revanche quasiment impossible d'établir avec certitude que tel énoncé est, lui, suffisamment pertinent, et donc n'autorise pas l'interprétation. Le champ de l'interprétable risque toujours de s'étendre. Ces extensions se trouvent justifiées, côté interprétation, par la référence à un *cadre idéologique*; et, côté production, par la soumission à un *genre*, lequel n'est rien d'autre, disait déjà Bœckh, qu'un contrat établi entre auteur et lecteur, décidant, précisément, du mode de lecture à suivre (un événement surnaturel doit être interprété dans un récit réaliste mais n'a pas à l'être dans un conte merveilleux). Je laisserai ici de côté la question des genres, question fort bien étudiée de nos jours.

### *A la recherche d'indices textuels*

La référence au cadre idéologique, qui permet de fixer le seuil de la pertinence, ne se présente pas toujours comme telle; elle aime à se dissimuler derrière des propriétés objectives du texte : on revient par là à la production. On peut ainsi constater que, tout au long de l'histoire de l'exégèse, on a cherché à fonder la décision d'interpréter sur la présence d'un certain nombre d'indices proprement textuels (sans parler des cas où l'énonciateur indique, métalinguistiquement, qu'il faut interpréter, en donnant à son texte un titre comme « Allégorie », ou en commençant son discours comme le Christ : Maintenant, je parlerai en paraboles). On pourrait répartir ces indices (il faut entendre ce mot au sens qu'il a en herméneutique : c'est le moyen de signaler un statut textuel, et par là d'induire à une forme de lecture) en deux grands groupes : ils viennent de la mise en relation du segment présent ou bien avec d'autres énoncés appartenant au même *contexte (indices syntagmatiques)* ou bien avec le savoir partagé d'une communauté, avec sa *mémoire collective (indices paradigmatiques)* — ce qui, contrairement aux apparences, ne nous conduit pas hors du texte.

### *Indices syntagmatiques*

Lorsque les indices sont à trouver dans les rapports de l'énoncé avec son contexte syntagmatique, on peut encore distinguer deux groupes, que j'appellerai : indices par manque et par surplus. *Par manque* : l'exemple le plus clair en est la contradiction; chaque fois que deux segments d'un texte se contredisent, l'interprète sera tenté de transformer le sens de l'un (ou des deux). Il faut compter aussi avec cette forme affaiblie de la contradiction qu'est la discontinuité (à l'intérieur de la phrase, entre phrases, entre paragraphes, etc.), qu'elle soit proprement sémantique ou bien stylistique. *Par surplus* : le cas extrême en est la tautologie, et l'on sait bien que les tautologies idiomatisées (un sou est un sou, etc.) impliquent des interprétations différentes pour chaque occurrence du même mot. De même pour la répétition, ou pour sa variante plus diffuse, la superfluité : mais nous revenons là au principe de pertinence lui-même, dépouillé de justifications linguistiques.

*Indices paradigmatiques*

Quant aux indices provenant d'une confrontation entre l'énoncé présent et la mémoire collective d'une société, on peut également distinguer parmi eux plusieurs espèces, selon la nature du savoir partagé auquel on fait référence. Il y a d'abord le cas de tout ce qui est inintelligible, incompréhensible à l'aide du dictionnaire et de la grammaire communs, et à l'égard de quoi on ne peut adopter que deux attitudes : l'ignorer, ou l'interpréter. Ensuite vient l'ensemble des connaissances communes fixant les limites de ce qui est (scientifiquement) possible, à un moment donné de l'histoire; c'est le vraisemblable (physique) d'une société, et chaque fois qu'un énoncé particulier lui contrevient, on peut tenter de l'interpréter, pour le remettre en accord avec ce vraisemblable. C'est enfin le vraisemblable culturel, c'est-à-dire l'ensemble des normes et des valeurs qui déterminent ce qui est convenable au sein d'une société; les inconvenances peuvent être résorbées par l'interprétation (la référence au cadre idéologique est à peine travestie ici).

Il existe encore une autre façon de se référer au vraisemblable culturel, mais dans ce cas on se passe, pour ainsi dire, d'indices : un grand nombre d'inférences sont devenues automatiques, et la présence de l'antécédent provoque immanquablement celle du conséquent, ou inversement. Les phrases suivantes figurent dans le premier chapitre de *Hadji Mourat* de Tolstoï :

> Cet Hadji Mourat était un lieutenant de Chamil célèbre pour ses exploits; il ne se déplaçait ordinairement qu'avec son fanion et une escorte de dix murides qui galopaient autour de lui. Ce jour-là, enveloppé d'un capuchon et

d'un court manteau de feutre, d'où sa carabine dépassait, il allait, avec un seul garde du corps, en s'efforçant d'être aussi peu remarqué que possible, et ses vifs yeux noirs dévisageaient tous les habitants qu'il rencontrait.

Le comportement furtif de Hadji Mourat est automatiquement associé pour nous à la présence du danger et au désir de se cacher : l'un évoque l'autre sans qu'on ait besoin d'un indice quelconque, incitant à l'interprétation. C'est de la même manière que, dans les romans « psychologiques », le lecteur infère et construit le caractère des personnages.

*Exemples de symbolisation : saint Jean de la Croix*

Je prendrai plusieurs exemples de pratiques textuelles ou exégétiques, pour illustrer les distinctions qui précèdent.

Dans les poèmes mystiques d'un saint Jean de la Croix, le problème se pose ainsi : à première vue, le texte parle d'amour charnel et ne mentionne aucune notion spirituelle; d'autre part, nous savons, par les commentaires dont l'auteur lui-même accompagne ses œuvres et par le contexte global de leur production, qu'il s'agit bien de textes mystiques, qui parlent d'amour divin. Mais y a-t-il, dans le texte même, des indices conduisant à l'interprétation? On lit dans un *Cantique de l'âme* (le titre est évidemment un premier indice essentiel) : J'étais

> Sans autre lumière ni guide
> Que celle qui brûlait en mon cœur

et quelques lignes plus loin :

> Ô Nuit qui m'a guidée!

Le guide unique est appelé une fois « nuit », une fois « lumière qui brûle en mon cœur ». Si l'on admet l'unicité de ce guide et qu'on suppose le discours conforme au principe de pertinence, on sera amené à la conclusion : la nuit, ou la lumière, ou les deux ne doivent pas être prises en leur sens littéral (outre qu'elles sont non seulement différentes mais opposées).

D'autres indices sont moins nets. Deux vers de la deuxième strophe décrivent le même événement : je sortis

> A l'obscur et en assurance
> ............................
> A l'obscur et en cachette.

Que l'assurance aille mal avec la dissimulation n'est qu'un élément du vraisemblable culturel; il n'y a là rien d'impossible; et pourtant on est tenté de chercher un sens second à cette « sortie ». De même, lorsque le sujet se décrit :

> Ardente d'un amour plein d'angoisses,
> Ô l'heureuse fortune!

la combinaison de l'angoisse et du bonheur choque seulement nos idées courantes sur la psychologie, mais cela compte.

## Maeterlinck

Une page du *Pelléas et Mélisande* de Maeterlinck nous familiarisera avec d'autres indices d'un sens second :

*Golaud :* Qui vous a fait du mal?
*Mélisande :* Tous! tous!
*Golaud :* Quel mal vous a-t-on fait?
*Mélisande :* Je ne peux pas le dire! je ne peux pas le dire!...
*Golaud :* Voyons; ne pleurez pas ainsi. D'où venez-vous?
*Mélisande :* Je me suis enfuie!... enfuie... enfuie!
*Golaud :* Oui; mais d'où vous êtes-vous enfuie?
*Mélisande :* Je suis perdue!... perdue ici... Je ne suis pas d'ici... Je ne suis pas née là...
*Golaud :* D'où êtes-vous? Où êtes-vous née?
*Mélisande :* Oh! oh! loin d'ici... loin... loin...

31

Les indices, cette fois, sont très voyants; ce n'est peut-être pas un hasard s'il s'agit d'un drame *symboliste*. Le premier est la répétition : Mélisande répète presque chacune de ses paroles; le ferait-elle si ces mots n'avaient que leur sens commun? n'est-ce pas là une incitation à leur chercher un sens second, plus « profond »? Il y a ensuite la discontinuité : Mélisande ne répond à presque aucune des questions qu'on lui pose. Plus loin dans la même scène on assiste à des échanges de ce genre : « *Golaud :* Pourquoi avez-vous l'air si étonné? *Mélisande :* Vous êtes un géant? » Ou encore : « *Golaud :* Quel âge avez-vous? *Mélisande :* Je commence à avoir froid... » Une autre particularité des propos de Mélisande joue un rôle important : c'est leur indétermination, qui appelle à l'œuvre l'imagination du lecteur ou de l'auditeur. Ses phrases sont ou proprement négatives (« je ne peux pas le dire », « je ne suis pas d'ici ») ou d'une référence extrêmement vague (« loin d'ici... »). A cela s'ajoutent, évidemment, les éléments du code graphique : points d'exclamation et de suspension.

*Henry James*

C'est à un tout autre type d'indice que nous avons affaire dans les salons mondains de la fin du XIXᵉ siècle, tels que les décrit Henry James dans *l'Âge difficile*. Voici un échange de propos entre Mrs. Brookenham et sa fille Nanda :

— Mais elle [la Duchesse] n'a jamais eu à payer pour *rien*!
— Tu veux dire que toi, tu as dû payer?...

La phrase de Mrs. Brook n'est ni contradictoire ni répétitive, et elle n'évoque aucun événement invraisemblable. Sa fille se croit cependant autorisée à l'interpréter comme comportant un sous-entendu : c'est que, sinon, cette phrase aurait contrevenu à la règle bannissant toute superfluité. La barre de pertinence est élevée très haut dans le salon de Mrs. Brook : on ne dit pas « X est *a* », à moins qu'on ne veuille suggérer : « mais moi, je ne le suis pas »; sinon, l'énoncé eût été plat, et donc inutile.

ns encore ces deux phrases qui se suivent, dans le prologue
Hadji Mourat de Tolstoï :

> Quelle énergie, pensai-je, l'homme a tout vaincu, il a
> détruit des millions d'herbes, mais celle-ci ne se rend pas.
> Et je me rappelai une ancienne affaire du Caucase, à
> laquelle j'avais assisté en partie, que m'avaient, en partie,
> contée des témoins, et dont j'ai imaginé le reste.

Le narrateur voit un chardon dans le champ, puis il se souvient
d'une histoire. Aucune relation explicite ne lie ces deux événements. Et pourtant, leur seule succession dans l'esprit du narrateur, ou, ce qui revient au même, dans le texte soumis à la
lecture, suffit pour nous indiquer qu'il y a bien un rapport entre
les deux. Et puisque, justement, ce rapport n'est pas causal et
narratif, il ne peut être que textuel et symbolique : nous sommes
invités à interpréter le chardon comme l'image allégorique de
l'être dont on nous contera l'histoire, et cela par référence au
seul principe de pertinence, selon lequel aucune phrase, aucune
succession de phrases ne peut être gratuite : non « qui se ressemble s'assemble » mais bien « qui s'assemble se ressemble »...

### Exemples d'interprétation

Observons maintenant comment on procède dans une école
d'exégèse.

Il est possible d'abord qu'une doctrine philosophique formule ce postulat que tout est à interpréter; on se passe dans ce
cas d'indices textuels, et c'est à peine si l'on peut parler de règles
exégétiques, tant la chose devient facile. Telle est la situation
pour le symbolisme médiéval, où tout l'univers est censé être
symbole de Dieu (le monde est un livre) : aucun indice particulier

33

n'est exigé pour enclencher l'interprétation. Il en va un peu de même du platonisme, où les phénomènes visibles sont nécessairement l'incarnation d'idées immatérielles. Toute proportion gardée, on peut dire la même chose de l'interprétation psychanalytique.

L'exégèse religieuse, ou sacrée, bien qu'elle soit dotée d'un appétit exorbitant, a cherché à formuler des critères relativement restreints. Le type d'indice le plus fréquent ici est l'inconvenance : un texte est à interpréter parce que, sinon, il n'illustrerait plus la sainteté divine. Le pseudo-Héraclite écrivait déjà à propos d'Homère, dont l'épopée en était venue à assumer le rôle d'un texte sacré : « Tout n'est chez Homère qu'impiété s'il n'a employé aucune allégorie »; situation scandaleuse qui sera traitée, précisément, à l'aide du remède allégorique. Et Frazer a raison d'écrire que « l'histoire des religions n'est qu'un long effort pour concilier un usage ancien avec une raison nouvelle » : dans notre champ, cet effort prend la forme de l'interprétation.

Lisons Philon d'Alexandrie pour observer la nature des indices sur lesquels s'appuie un représentant typique de l'exégèse religieuse allégorique (mes citations proviennent des *Legum allegoriae*). *Contradiction* :

> Et cependant, Adam alors n'est pas nu : « Ils se firent des ceintures », a-t-il été dit un peu auparavant; c'est que par là, l'auteur sacré veut t'apprendre qu'il n'entend pas parler de la nudité du corps, mais de celle où se trouve l'intellect qui n'a pas de part à la vertu, qui est nu et dépouillé d'elle (III, 55).

*Discontinuité* :

> « Et Dieu dit à la femme : Pourquoi as-tu fait cela? et elle dit : Le serpent m'a trompée et j'en ai mangé » (Gen 3, 13). Dieu demande une chose à la sensation [ce qu'est, allégoriquement, la femme] et elle en répond une autre; il lui demande en effet quelque chose sur son mari, et elle ne parle pas de lui, mais d'elle-même, disant : J'ai mangé, et non pas : j'ai donné. N'est-ce pas alors par l'explication

allégorique que nous résoudrons les difficultés, en montrant que la femme répond directement à la question posée? (III, 59-60).

*Superfluité :*

Pourquoi après les mots « la verdure des champs » ajoute-t-il « et toute l'herbe », comme s'il était impossible à la verdure d'être de l'herbe? C'est que la verdure des champs, c'est l'intelligible, pousse de l'intelligence, et l'herbe, c'est le sensible, qui est lui aussi une pousse, celle de la partie irrationnelle de l'âme (I, 24).

*Invraisemblance :*

Une de ces femmes est celle de Pentéphré, l'épouse du chef des cuisines du Pharaon. Il faut examiner comment, étant eunuque, il a cependant une femme; car pour ceux qui s'occupent de la lettre de la Loi plus que de son sens allégorique, il va se présenter une apparence de problème (III, 236).

*Inconvenance :*

Ne soyons pas sots au point de croire que Dieu emploie pour souffler les organes de la bouche et des narines : Dieu n'entre dans aucune catégorie de qualités... L'expression a un sens encore plus profond (I, 36-37).

Et ainsi de suite...

La critique littéraire moderne se fonde, elle, dans sa pratique d'interprétation, sur des postulats mis en avant par l'esthétique romantique, et avant tout sur celui de la forme organique (à tel point qu'elle mériterait l'appellation de « critique organique »). Tout, dans l'œuvre, se correspond, tout concourt à une même « image dans le tapis », et la meilleure interprétation est celle qui permet d'« intégrer » le nombre le plus élevé d'éléments textuels. Nous sommes, du coup, mal armés pour la lecture du discontinu, de l'incohérent, de l'inintégrable.

On peut enfin imaginer l'absence tant d'indices particuliers que de principe global obligeant à l'interprétation — et que néanmoins le sujet ne cesse d'interpréter... Le cas existe, mais il ne fait pas partie des stratégies exégétiques admises : c'est ce qu'on appelle en psychopathologie le « délire interprétatif », et c'est une forme de paranoïa. Ce qui suggère, par inversion, que notre société exige bien une motivation à toute décision d'interpréter.

# Le rôle de la structure linguistique

Une fois la décision d'interpréter étant prise, on s'engage dans l'association (ou « évocation ») symbolique, qui permet de résorber l'étrangeté constatée; cette évocation comporte des aspects multiples. Plutôt que de chercher à fonder en raison cette multiplicité, j'examinerai, dans chacun des chapitres qui suivent, une des *cinq* grandes catégories qu'il me semble indispensable d'isoler, si je veux poursuivre ce discours à la fois général et particulier qui est le mien ici. Le premier groupe de problèmes auquel je m'arrêterai est lié à l'effet exercé par la structure linguistique du segment interprétable sur le cours même de l'interprétation. Et tout d'abord : si l'on se tient aux distinctions dans la matière verbale, en découle-t-il des formes du symbolisme linguistique?

*Symbolisme lexical et symbolisme propositionnel*

Dans les commentaires rabbiniques du Pentateuque, on trouve l'exemple suivant : il est dit dans la Bible que même les animaux seront récompensés par Dieu; et le commentaire ajoute : « Et ne peut-on raisonner *a fortiori* : s'il en est ainsi pour une bête, pour l'homme à combien plus forte raison Dieu ne retiendra pas sa récompense? » Une seule proposition est présente dans le texte commenté : « les animaux seront récompensés »; mais elle nous permet *a*) de comprendre son sens qui est *les animaux seront récompensés* et *b*) de lui donner une interprétation secondaire, indirecte, qui est : *les hommes seront récompensés*. Laissons de côté le procédé d'*a fortiori*, ou *qal wahômèr*, essentiel dans la glose rabbinique, et retenons le résultat global : le signifiant d'une seule proposition nous induit à la connaissance de deux signifiés, l'un direct, l'autre indirect.

Imaginons maintenant que, dans la proposition « les animaux seront récompensés », le terme « animaux » soit utilisé de manière métaphorique pour désigner, par exemple, les humbles d'esprit. Le mot « animal » évoquera d'une part, directement, le sens *animal*; d'autre part, indirectement, celui d'*humble d'esprit*. Un seul signifiant nous induira, de nouveau, à la connaissance de deux signifiés.

Le symbolisme linguistique se définit à travers ce débordement du signifiant par le signifié; nous sommes donc ici en présence de deux exemples du fonctionnement symbolique du langage. Leur parenté est évidente; en quoi consiste la différence? Elle est dans la nature de l'unité linguistique qui sera soumise au processus symbolique : cette unité permet ou non de maintenir l'assertion directement formulée. Dans le premier cas, l'assertion étant maintenue, la proposition initiale *les animaux seront récompensés* se prête à l'épreuve de vérité; dans le second en revanche il n'y a aucun sens à se demander si des animaux, au sens propre, seront ou non récompensés réellement; il n'en est pas question; seule la proposition concernant les hommes peut être dite vraie ou fausse. Ou encore, si l'on veut expliciter tout ce que nous communiquent ces deux segments, on aurait, dans le premier cas : 1) les animaux seront récompensés; 2) les hommes sont comme les animaux (en mieux); 3) les hommes seront récompensés aussi : trois propositions. Et, dans le second : 1) certains hommes sont comme des animaux; 2) ces hommes seront récompensés : deux propositions. L'élément qu'on interprète dans le premier cas est une *proposition*, alors que, dans le second, il est inférieur à la proposition : c'est un *mot* ou un *syntagme*. Je parlerai de *symbolisme propositionnel* pour désigner des cas semblables au premier, et de *symbolisme lexical*, pour des cas semblables au second — si l'on veut bien se souvenir que « lexical » ne renvoie pas ici au lexique (qui appartient à la langue, non au discours, et d'où par conséquent tout effet symbolique est absent), mais à des segments inférieurs à la proposition, mot ou syntagme, qui ne comportent pas d'assertion en eux-mêmes.

### Historique de l'opposition

A ma connaissance, personne, dans la tradition occidentale, n'a cherché à rapprocher et à distinguer ces deux phénomènes linguistiques de cette manière (précisément). Ce qui ne veut pas dire que la distinction même soit passée inaperçue; mais elle a reçu d'autres descriptions, dont j'essaierai de montrer maintenant qu'elles sont moins satisfaisantes.

La plus connue trouve son origine dans les écrits des Pères de l'Église. C'est Clément d'Alexandrie qui, semble-t-il, le premier, formule notre distinction, non comme celle de deux formes de symbolisme, il est vrai, mais comme celle de deux définitions possibles du fait symbolique :

> C'est aussi pourquoi il [le Seigneur] use des métaphores de l'Écriture; la parabole en est une, discours qui, à partir d'un objet secondaire mais répondant à un objet premier, mène celui qui comprend à la vérité essentielle, ou bien, comme disent certains, expression qui possède une force particulière pour présenter indirectement les idées principales (*Stromates*, VI, 126, 4).

La parabole peut être décrite *soit* comme l'évocation d'un objet qui à son tour en évoque un autre; *soit* comme une expression pourvue de plusieurs sens, certains directs, d'autres indirects.

La même possibilité de double description d'un fait unique apparaît dans les écrits de saint Augustin, ce grand synthétiseur des traditions antérieures. Dans *la Doctrine chrétienne* il intègre, entre autres, l'héritage rhétorique à une théorie sémiologique générale; les tropes acquièrent le statut de « signes transposés » (*signa translata*). Mais la définition que donne d'eux saint Augustin n'est plus semblable à celles qu'on trouvait dans les rhétoriques (un mot employé dans un sens qui n'est pas le sien habituellement). Il écrit :

> Les signes sont transposés quand les choses mêmes que nous désignons par les mots propres désignent à leur tour une autre chose. Par exemple, nous disons « un bœuf » et comprenons par ces deux syllabes l'animal qu'on a coutume d'appeler de ce nom. Mais en revanche cet animal nous fait songer à l'Évangéliste que l'Écriture, selon l'interprétation de l'Apôtre, a désigné par ces mots (*I Cor* 9, 9) : « Tu ne mettras pas de frein au bœuf qui foule le grain » (II, X,15).

Le trope est défini ici comme un symbolisme des choses transmis par le langage. La phrase attribuée, dans le Deutéronome, à Dieu, et qui parle du bœuf, est interprétée par saint Paul dans la Première Épître aux Corinthiens comme concernant ceux qui annoncent l'Évangile. Mais les mêmes mots ne changent pas ici de sens ; c'est l'objet bœuf qui, dans un deuxième temps, évoque l'Évangéliste.

Cependant, une page plus loin, saint Augustin cite un autre exemple de signe transposé. Il commente ainsi la phrase du prophète Isaïe « Ne méprise pas les membres de ta maison, nés de ta race » (*Is* 58, 7) : « On pourrait prendre les mots " les membres de ta maison, nés de ta race " dans un sens transposé et par là comprendre les chrétiens, nés spirituellement avec nous, de la même race, celle du Verbe » (II, XII,17). Ici, plus de symbolisme des choses : les mots sont à entendre en un sens autre, comme dans le cas des tropes rhétoriques.

Ces deux exemples divergents ne témoignent nullement d'une confusion dans l'esprit de saint Augustin, mais de son désir d'élargir la catégorie du « transposé ». Ce ne sont plus deux descriptions du même phénomène mais une subdivision en son sein. L'opposition sera formulée avec plus de netteté encore dans *De la Trinité*, où saint Augustin commente l'interprétation allégorique proposée par saint Paul des deux femmes et deux fils d'Abraham, comme la Jérusalem d'en bas et d'en haut (*Gal* 4, 22):

Toutefois, lorsque l'Apôtre parle d'allégorie ce n'est pas à propos de mots, mais à propos d'un fait : dans le passage où il montre que les deux fils d'Abraham, celui de la servante et celui de la femme libre (ce ne sont pas là des paroles mais des faits), signifient les deux Testaments (XV, 9.15).

Cette formule est à l'origine d'une des distinctions les plus importantes de l'herméneutique chrétienne, entre *allegoria in factis* et *allegoria in verbis*. « Allégorie » désigne ici l'ensemble du symbolique; les allégories « factuelle » (ou « réelle ») et « verbale » en sont les espèces.

On voit par les exemples cités qu'on a affaire à des faits identiques à ceux que j'ai évoqués précédemment à propos des symbolismes lexical et propositionnel. J'aurais pu dire que « les animaux » entendu au sens de *hommes humbles* était un changement dans le sens des mots; et que dans l'autre cas, en revanche, la chose évoquée même (la récompense des animaux) permettait de déduire un sens nouveau (concernant la récompense des hommes). Laquelle des deux descriptions est préférable?

Le défaut de l'opposition allégorie verbale ou réelle, ce n'est pas seulement qu'elle est substantielle et ne révèle pas le mécanisme qui produit les deux faits différents. Elle pèche aussi par un autre côté : c'est que les tropes (= allégorie verbale) sont tout aussi « réels » que les allégories réelles elles-mêmes. Si je dis « le bœuf » pour désigner par métaphore l'homme obtus (ce n'est pas ce que suggère saint Paul), je dois bien me référer à l'animal lui-même, pour lui trouver quelque ressemblance avec telle espèce d'hommes. En cela, le cas n'est pas différent de celui où les mots désignent bien le bœuf mais où le bœuf à son tour évoque l'Évangéliste. L'opposition mots-choses, utilisée ici, est une manière un peu maladroite de se référer à ce fait que le sens de l'assertion initiale est maintenu dans l'un des cas, aboli dans l'autre. Dans l'« allégorie verbale » l'assertion concernant l'animal disparaît, dans l'« allégorie réelle » elle reste. Ce fait lui-même se traduit dans la différence linguistique entre les segments qui servent de point de départ à l'interprétation : mot ou proposition.

41

De même pour les deux femmes d'Abraham. Si par « femmes » on entendait, par exemple, *faiblesses*, ce ne serait pas un oubli de la chose, mais une abolition de la première assertion : on n'aurait rien dit des femmes (au sens propre) d'Abraham. Saint Paul interprète la phrase autrement : Abraham a bien deux femmes (le sens de la première assertion est maintenu), mais celles-ci annoncent les deux Jérusalem. Ici comme là, on passe par le monde des « choses »; seul varie le statut de l'assertion initiale.

Les mêmes remarques valent pour une formulation un peu différente de la même opposition, que l'on trouve chez saint Thomas d'Aquin. Opposition plus accentuée car, si saint Augustin admet dans la Bible tout symbolisme, saint Thomas laisse le symbolisme lexical aux poètes et ne revendique, comme mode d'expression divine, que (l'une des formes du) symbolisme propositionnel. Partant de la même opposition *factis-verbis*, il insiste sur ce que l'une des interprétations est successive, l'autre, simultanée.

> On aurait tort de croire que la multiplicité des sens mentionnés puisse faire équivoque, ou donner lieu à quelque autre inconvénient du multiple. En effet, d'après ce qui a été dit, on ne les multiplie point pour cette raison qu'une même parole peut signifier plusieurs choses; ce sont les choses signifiées par les paroles, qu'on dit pouvoir, de par Dieu, signifier des choses nouvelles. (...) Quant à la parabole [synonyme de l'allégorie verbale, celle que les hommes peuvent manier aussi], elle est incluse dans le sens littéral; car par les mots qu'on y emploie se trouve signifié *à la fois* quelque chose au sens propre et quelque chose au sens figuré, et dans ce cas la lettre de l'Écriture n'est pas la figure même, mais ce qu'elle figure. Quand par exemple l'Écriture parle du bras de Dieu, le sens littéral n'est pas qu'il y ait en Dieu un membre de chair, mais bien ce qu'on entend au sens figuré par ce mot bras, à savoir une puissance active (*Somme théologique*, question I, article 10, solutions 1 et 3; c'est moi qui souligne).

On ne s'occupera pas ici de la répartition sens propre-sens transposé-sens littéral-sens spirituel, qui diffère chez saint Augustin et saint Thomas. Il reste que dans l'« allégorie réelle » on doit, d'après saint Thomas, *d'abord* interpréter les mots, *ensuite* les choses que ceux-ci désignent; alors que dans l'« allégorie verbale » (ou parabole) les deux sens sont donnés simultanément. Mais ici encore seule l'une des descriptions est exacte. Pour revenir à notre exemple initial, on doit, il est vrai, d'abord comprendre la phrase « les animaux seront récompensés » pour ensuite en déduire que les hommes le seront aussi. Mais il en va de même dans l'autre cas : on comprend d'abord le sens d'*animal*, ensuite seulement celui d'*humble d'esprit*; c'est à travers le sens initial d'*animal* que nous atteignons le sens second d'*hommes*; cela est le propre de tout sens indirect. Et quoi qu'en dise saint Thomas, en entendant parler du bras de quelqu'un, nous pensons d'abord à un *bras* et dans un deuxième temps seulement, ayant décidé que ce premier sens est inadmissible, nous passons du *bras* à la *puissance active*. On voit en même temps bien ce qu'a en vue saint Thomas : dans un cas, on comprend la première proposition, puis on lui *ajoute* une seconde; dans le deuxième, on envisage une première interprétation, ensuite on lui en *substitue* une autre. Mais cette différence découle clairement du sort réservé à l'assertion initiale, maintenue là, ici abolie. Dans le cas des tropes, on ajoute aussi le sens; mais c'est celui d'un mot, et non d'une proposition. Bref, le processus est le même dans les deux cas; si le résultat est différent, c'est qu'il s'applique à des entités différentes, mots et propositions.

Le même problème est effleuré dans la rhétorique de Quintilien, sans qu'il y soit posé en termes explicites. Quintilien oppose tropes et figures, sans se décider sur les catégories qui soustendent l'opposition mots (tropes)-propositions (figures) ou forme (figures)-sens (tropes); d'où la tripartition malaisée tropes — figures de mots — figures de pensée. Ainsi l'ironie apparaît à la fois comme une subdivision de l'allégorie (et donc comme un trope) et comme une figure de pensée — affirmations que Quintilien essaie de concilier de la manière suivante : « En un mot, de même qu'une allégorie est constituée par une suite de métaphores, de même l'ironie-figure est formée par une série d'iro-

43

nies-tropes » *(Institution oratoire* IX, 2.46). Mais si l'allégorie s'oppose à la métaphore comme la figure au trope, elle n'est plus un trope? Une autre indication va dans le même sens : l'*exemple* est présenté comme une subdivision de l'allégorie; or, comme le montrent les illustrations de Quintilien, l'*exemple* relève du symbolisme propositionnel, et non du lexical (il en va de même pour le *proverbe*, également répertorié); mais les instances d'allégorie vont dans le sens opposé : l'allégorie n'est que l'accumulation de plusieurs métaphores tirées du même domaine :

> « Ô navire, tu vas être emporté sur la mer par de nouveaux flots. Ah! que fais-tu? Gagne résolument le large » et tout le passage d'Horace, où le navire est l'État, les flots et les tempêtes les guerres civiles, le port la paix et la concorde (VIII, 6.44).

Comme le montre le commentaire de Quintilien, il s'agit ici de plusieurs mots (métaphores) et non pas d'une proposition : il n'y a pas d'assertion maintenue sur un navire réel, qui nous permettrait, dans un deuxième temps, de le comparer à l'État. La métaphore filée est quand même une métaphore, elle ne relève pas du symbolisme propositionnel. Celui-ci ne sera pas reconnu explicitement dans l'*Institution oratoire*.

Absente des ouvrages rhétoriques ou herméneutiques d'Occident sous cette forme même, la distinction entre symbolisme lexical et symbolisme propositionnel semble bien se retrouver dans la tradition sanscrite. Les phénomènes qui nous intéressent ici ont été décrits d'abord séparément, avant qu'on ne cherche à les articuler ensemble. Celui qui semble avoir envisagé pour la première fois la totalité du champ est de nouveau Ānandavardhana, auteur de la théorie du *dhvani*; et c'est son commentateur Abhinavagupta qui est le plus explicite là-dessus.

> Abhinavagupta parle de quatre fonctions différentes des mots, *abhidhā, tātparya, lakṣaṇā,* et *vyañjanā,* et il les range en quatre classes séparées : *abhidhā* est la capacité des mots de signifier le sens premier; ce sens premier concerne l'universel et non le particulier. Même pris dans une phrase, les

mots individuels ne se réfèrent, par leur fonction première de *abhidhā*, qu'au sens du mot isolé. La relation syntaxique entre les mots est établie par la *tātparyaśakti*. L'intention du locuteur, ou la visée générale de l'énoncé, est évidemment de créer un sens intégré de la phrase. C'est pourquoi on considère que les mots ont la capacité d'établir la relation syntaxique entre les sens des mots isolés. Selon cette théorie, *lakṣaṇā* est la troisième capacité qu'il faut reconnaître; elle n'apparaît que lorsque les sens premiers ne peuvent être combinés syntaxiquement de telle sorte qu'ils produisent un sens global. Abhinavagupta ajoute que même cette théorie devra accepter *vyañjanā* ou la suggestion comme une quatrième fonction des mots (K. Kunjunni Raja, *Indian Theories of Meaning*).

Ainsi des quatre espèces de signification, deux sont directes (*abhidhā* et *tātparya*) et deux indirectes *(lakṣaṇa* et *vyañjanā)*. Les deux premiers termes s'opposent en outre comme le mot à la proposition. On peut donc supposer que telle est aussi la nature de l'opposition entre les deux formes indirectes. C'est bien ce que semble avoir envisagé Ānandavardhana dans sa discussion du rapport *lakṣaṇā-vyañjanā*. Car il affirme que dans le premier cas, le sens de la proposition initiale est aboli, alors que dans le second il est maintenu.

*Lakṣaṇā* fonctionne lorsqu'il y a une sorte d'inconsistance dans le premier sens; il indique le sens tropique secondaire après avoir annulé le sens premier. Dans la suggestion cependant, on n'a pas besoin d'éliminer le sens premier.

D'autre part, la différence entre *tātparya* et *vyañjanā* n'est que dans l'option direct-indirect; tous deux donc relèvent de la proposition.

Abhinavagupta dit que lorsqu'une expression produit son sens littéral propre, et en plus suggère un autre sens, on ne peut considérer ces deux sens comme étant établis par les mêmes propriétés du langage. L'un des sens vient directement des mots, alors que l'autre procède du sens littéral.

L'insistance que je mets à séparer ces deux espèces de symbolisme selon que le sens de la première assertion est maintenu ou aboli pourrait rapprocher cette distinction d'une autre, qu'on trouve également dans les poétiques sanscrites. Selon celles-ci, deux espèces de tropes sont à distinguer : ceux où il faut renoncer au sens premier pour admettre le sens second ; et ceux où le deuxième sens s'ajoute au premier sans le supprimer ; en d'autres termes, les deux assertions, littérale et tropique, peuvent être compatibles ou incompatibles, inclusives ou exclusives. Un exemple des premiers sera la métonymie : il n'y a aucun village *sur* le Gange (bien qu'on parle ainsi) mais seulement sur les rives du Gange. (La métaphore entre dans la même classe.) Le second cas sera illustré par la synecdoque : « Les lances sont entrées dans la salle » (pour *les lanciers*) n'est pas faux, mais ne décrit qu'une partie du fait, l'autre étant justement évoquée par trope. (Il en irait de même pour la litote.) La différence entre symbolisme lexical et propositionnel ne se réduit-elle alors pas à celle entre métaphore et synecdoque ? Il suffit de comparer ci-dessus les instances de symbolisme propositionnel et de synecdoque pour s'apercevoir de l'importance des différences. Dans le cas de la synecdoque, il s'agit de deux descriptions du *même fait* (l'entrée des lanciers) ; l'une des assertions décrit le fait plus complètement que l'autre. Dans le symbolisme propositionnel, en revanche, on déduit de la première proposition, non une meilleure description du même fait, mais la description d'un *second fait* : de ce que les animaux seront récompensés, on conclut que les hommes le seront aussi. Cette nouvelle distinction des poéticiens sanscrits, bien valable en elle-même, ne coïncide donc pas avec la mienne.

*Symbolisme du signifiant*

En répartissant les faits symboliques, dans la présente perspective, en deux groupes seulement, selon que l'assertion initiale est maintenue ou non, et, en conséquence, selon que l'association part d'une proposition ou d'un mot, je ne laisse aucune place au sein du symbolisme linguistique pour ces phénomènes

46

bien connus que l'on appelle le *symbolisme phonétique* ou le *symbolisme graphique.* Ce n'est pas un hasard; de deux choses l'une : ou bien ce symbolisme est indépendant du sens des mots, et alors nous sommes dans l'infralinguistique, non dans le linguistique (ces faits relèvent du symbolisme sonore ou visuel, par exemple *i* évoque la petitesse); ou bien ce symbolisme implique le sens des mots, mais alors il ne fait que doubler une motivation sémantique indispensable, comme lorsque Nodier prétend que le mot *catacombe* symbolise phonétiquement cercueil, souterrain, cataracte et tombe (je reviendrai là-dessus au chapitre « Structure logique »). C'est pourquoi l'étude de ces problèmes n'a pas sa place ici; je me contente donc de renvoyer à une mise au point sur cette question (on en trouvera la référence dans la « Bibliographie sommaire » à la fin de cette section).

### Autres effets du linguistique

Remarquons enfin que la répartition massive que j'ai proposée n'est pas le seul point sur lequel la structure linguistique détermine l'interprétation symbolique, loin de là. Comparons ces deux phrases.

(1)   Tu sais que ce soir il y a un crime vert à commettre *(les Champs magnétiques).*

(2)   Tu sais que ce soir il y a un crime vert dans la chambre à côté.

La nécessité d'interpréter est chaque fois signalée par une incompatibilité au sein de la phrase (une anomalie sémantique) : la combinaison impossible est « crime vert ». Mais dans le premier cas, c'est « vert » qui devient le point de départ des associations (qui est interprété métaphoriquement). Alors que dans la seconde phrase, sous l'action du complément circonstanciel de lieu, les choses changent, et il n'est pas sûr que l'interprétation ne partira pas plutôt de « crime », en l'interprétant métonymiquement (par exemple comme « résultat de crime »).

Prenons ces deux autres phrases :

(1)   Cet homme est un lion.
(2)   Ce lion est un homme.

Chaque fois, c'est le prédicat qui fournit le point de départ des associations. Mais la motivation évoquée dans le premier cas (disons « courage ») ne sera pas la même que dans le second (plutôt « intelligence »).

De tels faits — et ils sont nombreux — témoignent de la pertinence des structures syntaxiques pour la forme que prend l'interprétation symbolique. Mais, plutôt que de la symbolique, ils relèvent de la linguistique (de la sémantique), et je dois me contenter ici d'appeler de mes vœux leur étude, dans le cadre qui leur est approprié.

# La hiérarchie des sens

Les termes mêmes dont on use couramment pour désigner le sens direct et le sens indirect trahissent une hiérarchie — qui n'est pas toujours assumée par son auteur. On a déjà vu en quoi l'expression « sens métaphorique » est déroutante : elle induit à croire que le mot a *changé* de sens, et que le sens nouveau a purement et simplement évincé l'autre. Les choses ne s'arrangent pas mieux lorsqu'on appelle, avec I. A. Richards, le premier sens « véhicule », et le second « teneur » : bien qu'adversaire de la théorie substitutive de la métaphore, Richards maintient ici une hiérarchie rigide puisque le sens direct n'est plus qu'un instrument pour l'autre et n'a pas de « teneur » en lui-même. Or les deux sens (et souvent plus de deux) restent bien présents, et différents quant à leur position hiérarchique, ils ne le sont pas dans leur nature. On ne peut pas non plus parler ici de « sens manifeste » et de « sens latent » car tous deux savent parfaitement s'accommoder de la conscience. « Dénotation » et « connotation » valent un peu mieux, mais peuvent encore induire à cette erreur selon laquelle les deux sens sont différents de nature, alors que les opérations de leur production, désignées par deux termes apparentés, sont quasiment identiques : c'est exactement le contraire qui est vrai, la nature du sens est identique ici et là, seul diffère leur mode d'existence.

On pourrait, pour tenter de baliser la problématique de la hiérarchie, situer d'abord les uns par rapport aux autres les cas particulièrement clairs de ce que j'appellerai : le discours littéral, le discours ambigu et le discours transparent.

## Le discours littéral

Le discours *littéral* est celui qui signifie sans rien évoquer. C'est là évidemment une limite que probablement aucun texte concret n'incarne; il est cependant important de la concevoir, car elle constitue l'un des pôles d'attraction de l'écriture, et peut être revendiquée par l'un ou l'autre mouvement littéraire. On se souvient que les premiers théoriciens du Nouveau Roman, s'opposant à la survalorisation antérieure du métaphorique, réclamaient pour ces œuvres une lecture parfaitement littérale. Robbe-Grillet écrivait, dans un texte programmatique :

> Le monde n'est ni signifiant, ni absurde. Il *est*, tout simplement... A la place de cet univers des « significations » (psychologiques, sociales, fonctionnelles), il faudrait donc essayer de construire un monde plus solide, plus immédiat. Que ce soit d'abord par leur *présence* que les objets et les gestes s'imposent.

Naturellement, ces textes, leur histoire critique ultérieure l'a amplement prouvé, n'étaient pas étrangers à toute évocation symbolique; la revendication n'en agissait pas moins à la façon d'un indice de genre, et pouvait produire, sinon des textes littéraux, tout au moins des lectures littérales.

En fait, même l'énoncé le plus littéral évoque inévitablement un groupe d'autres sens. Aristote le savait bien, qui écrivait dans les *Topiques* :

> Toutes les fois qu'on a énoncé une assertion quelconque, on énonce, en un certain sens, une multiplicité, attendu que chaque assertion entraîne nécessairement plusieurs conséquences. Par exemple, quand on dit qu'un tel est un homme, on a dit aussi qu'il est un animal, qu'il est animé, qu'il est bipède, et qu'il est susceptible de raison et de science (112 a).

De nos jours, un William Empson nous a appris à voir que les mots sont « complexes », et la linguistique a mis l'accent sur le phénomène de la présupposition, sens linguistique porté implicitement par chaque phrase. Le discours littéral n'est pas celui d'où tout sens second serait absent, mais celui où les sens seconds sont entièrement soumis au sens direct. Tout mot est complexe et toute phrase chargée de présuppositions, mais nous n'entendons pas cette complexité, à moins que, d'une façon ou d'une autre, on n'attire notre attention sur elle. C'est ce que sait faire le mot d'esprit :

— Est-ce l'endroit où le duc de Wellington a prononcé ces paroles?
— Oui, c'est bien l'endroit, mais les paroles, il ne les a jamais prononcées.

Dire « $X$ a fait $p$ à $N$ » présuppose « $X$ a fait quelque chose à $N$ » et « Quelqu'un a fait $p$ à $N$ » et « $X$ a fait $p$ quelque part »; on ne peut donc accepter l'assertion globale tout en niant cette dernière présupposition — à moins qu'on ne veuille faire de l'esprit. Par cette technique, ce qui n'était qu'un sens soumis et relégué à l'arrière-plan vient au centre de notre attention.

## Le discours ambigu

Un discours est *ambigu* lorsque plusieurs sens du même énoncé sont à mettre exactement sur le même plan. L'ambiguïté peut être syntaxique (la même phrase renvoie à deux structures sousjacentes différentes), sémantique (la phrase comporte des mots polysémiques) ou pragmatique (elle est potentiellement porteuse de plusieurs valeurs illocutoires); l'ambiguïté n'est jamais, en elle-même, symbolique, puisque tous les sens sont directs, et sont signifiés par le signifiant, sans qu'aucun soit signifié par un premier signifié. C'est ce que savaient bien les poéticiens sanscrits qui distinguaient clairement *dhvani* (suggestion) et *çleṣa* (coalescence).

51

Il est pourtant possible d'obtenir des effets symboliques à partir de l'ambiguïté : bien qu'étant tous directs, les sens d'un mot ou d'une phrase peuvent être hiérarchisés (que ce soit au plan sémantique, syntaxique ou pragmatique); l'un d'entre eux vient le premier à l'esprit, et ce n'est que dans un deuxième temps que l'on découvre qu'il fallait en fait penser à l'autre. Empson emploie à ce propos les termes de *sens fondamental (head meaning)* pour celui qui « de façon plus ou moins permanente occupe la place numéro un dans la structure », et de *sens vedette (chief meaning)* pour celui « à qui le locuteur donne le pas sur tout autre, dans les circonstances propres de son discours ». Lorsque, dans l'interprétation d'un énoncé, on passe du sens fondamental, venu le premier à l'esprit, au sens vedette, il se produit un phénomène très semblable (mais non identique) à l'évocation symbolique; je reviendrai sur sa technique au chapitre suivant. Ce sont encore les mots d'esprit qui exploitent la méprise dans la compréhension des phrases ambiguës, par exemple :

Deux Juifs se rencontrent au voisinage d'un établissement de bains : « As-tu pris un bain? demande l'un d'eux.
— Comment, dit l'autre, en manquerait-il donc un? »

Le sens fondamental, parce qu'idiomatique, de « prendre un bain » est *se baigner*; mais après coup la locution peut être comprise littéralement, comme *emporter une baignoire*. Encore ce rappel contraste-t-il avec l'évocation proprement symbolique, qu'illustre ici la réplique du second interlocuteur : du fait qu'il pense à ce sens invraisemblable, nous déduisons le « sel » antisémite du mot d'esprit : les Juifs ne se baignent pas, et ils ne pensent qu'à l'appropriation.


*Le discours transparent*


Un discours sera, enfin, *transparent* si nous ne prêtons, lors de sa perception, aucune attention au sens littéral (depuis l'époque romantique on emploie parfois le terme d'« allégorie » pour désigner cette variété d'énoncés). Des pièces moralistes, des fables se rapprochent parfois de cet idéal; l'*euphémisme* nous en fournit un exemple frappant : tous les membres d'une société connaissent le sens réel de l'euphémisme; pour qu'il ne devienne pas inutile et donc inutilisable, il est cependant nécessaire qu'une présence du sens littéral soit attestée, aussi ténue serait-elle. Un pas de plus, et nous sommes dans les « métaphores mortes » qui, en synchronie, relèvent de la polysémie, et non du symbolisme.

*Cas intermédiaires*

Ces trois cas extrêmes et relativement clairs — littéralité, ambiguïté, transparence — sont aussi les seuls que nous sachions vraiment identifier; mais ce ne sont évidemment que les limites d'un champ où de nombreux cas intermédiaires se présentent; nous les apercevons, je pense, intuitivement, mais nous ne savons pas les nommer, encore moins les analyser. Ce n'est pas un hasard : nos rhétoriques, le catalogue le plus riche dont dispose la tradition occidentale sur les faits symboliques, voient la ressemblance comme une relation simple et inanalysable. Il n'en va pas de même, une fois de plus, de la poétique sanscrite, qui sait identifier jusqu'à cent vingt variétés de la comparaison... et qui, en tous les cas, possède des catégories bien distinctes pour dire : que le comparant impose son sens au comparé, ou inversement; que les deux s'identifient ou ne sont que coprésents; que leur assimilation se produit objectivement ou aux yeux d'un seul observateur. Je ne peux donc que déplorer l'absence d'instruments permettant d'analyser la hiérarchie des sens dans l'évocation symbolique, et me contenter d'illustrer la variété des rapports hiérarchiques par un ou deux exemples (je l'avais déjà fait dans un chapitre de l'*Introduction à la littérature fantastique*).

*Exemples : Flaubert*

Je prendrai d'abord deux paragraphes au début de *la Légende de saint Julien l'Hospitalier*.

> Les pavés de la cour étaient nets comme le dallage d'une église. De longues gouttières, figurant des dragons la gueule en bas, crachaient l'eau des pluies vers la citerne; et sur le bord des fenêtres, à tous les étages, dans un pot d'argile peinte, un basilic ou un héliotrope s'épanouissait.

Voici une description que l'on pourrait considérer comme parfaitement littérale; elle l'est en tous les cas à ce point de la narration (je reviendrai plus tard sur l'effet second de la comparaison « comme... une église »).

Mais quelques lignes plus loin, on lit cet autre paragraphe, à première vue tout à fait semblable :

> On vivait en paix depuis si longtemps, que la herse ne s'abaissait plus; les fossés étaient pleins d'eau; des hirondelles faisaient leur nid dans la fente des créneaux; et l'archer, qui tout au long du jour se promenait sur la courtine, dès que le soleil brillait trop fort rentrait dans l'échauguette, et s'endormait comme un moine.

De nouveau une description littérale? non, car elle se trouve introduite par la proposition « on vivait en paix depuis si longtemps que », laquelle change le statut de tout ce qui suit : ce ne sont que des illustrations, des exemples de cette paix éternelle, quatre détails par lesquels, comme à son habitude, Flaubert nous communique une information générale. Le paysage, le château, ses particularités ne sont pas décrits pour simplement « être là », comme aurait dit Robbe-Grillet, mais pour illustrer une affirmation abstraite. Affirmation qui se trouve ici, de plus, explicitement énoncée, et qui ne participe donc pas du symbolique; mais dont le rapport avec ce qui suit impose au lecteur une façon d'interpréter — et qui peut l'obliger de revenir au paragraphe cité en premier, pour se demander si cette description initiale était aussi littérale qu'elle paraissait, ou si elle n'était pas là pour illustrer une autre affirmation générale, concernant non plus la paix, mais, disons, la perfection du lieu.

## Baudelaire

Prenons maintenant deux exemples dans les *Petits poèmes en prose* de Baudelaire. Un texte intitulé *Déjà!* raconte l'expérience de celui qui s'approche de la terre à la suite d'un long voyage en bateau; tous les détails, toutes les anecdotes se rapportent à un voyage particulier. Puis vient une comparaison :

> Semblable à un prêtre à qui on arracherait sa divinité, je ne pouvais, sans une navrante amertume, me détacher de cette mer si monstrueusement séduisante, de cette mer si infiniment variée dans son effrayante simplicité, et qui semble contenir en elle et représenter par ses jeux, ses allures, ses colères et ses sourires, les agonies et les extases de toutes les âmes qui ont vécu, qui vivent et qui vivront!

La mer concrète et réelle des paragraphes précédents s'efface peu à peu : d'abord elle reçoit des qualificatifs qui l'intègrent au monde animé (séduction, simplicité), puis, après qu'apparaît le fugitif désir d'en faire une métonymie de la vie (« contenir »), elle se transforme en une transparente allégorie, explicitement introduite par le verbe « représenter », de tous les sentiments de tous les êtres. Mais, ayant lu cette phrase, ne revient-on pas sur ses pas pour se demander ce que symbolisait chacun des aspects de la mer précédemment décrits, chacun des épisodes la concernant? Puisque la mer n'est que l'allégorie de la vie, tout doit être réinterprété? Et pourtant non, la mer du début est bien la mer, même si ici elle est devenue parfaitement « transparente ».

Il en va un peu de même dans *le Crépuscule du soir*. Ici encore, on commence par une description concrète de telle heure du jour, puis on enchaîne des anecdotes la concernant. Mais, vers la fin, vient de nouveau la grande comparaison :

> Les lueurs roses qui traînent encore à l'horizon comme l'agonie du jour sous l'oppression victorieuse de sa nuit, les feux des candélabres qui font des taches d'un rouge opaque sur les dernières gloires du couchant, les lourdes draperies qu'une main invisible attire des profondeurs de l'Orient, imitent tous les sentiments compliqués qui luttent dans le cœur de l'homme aux heures solennelles de la vie.

La description du crépuscule littéral (même si elle est abondamment métaphorique) bascule, à partir d'un moment, dans l'évocation « transparente » de « tous les sentiments » : passage marqué explicitement, par le verbe « imiter » cette fois-ci. Une fois de plus cette révélation nous oblige à réinterpréter tout ce qui précède en termes allégoriques — et pourtant n'efface pas entièrement la description littérale du crépuscule.

On voit que les pratiques de Flaubert et de Baudelaire sont différentes (le narratif et le poétique s'opposent ici, et non seulement deux personnalités, seraient-elles contemporaines); pourtant on n'est, en aucun cas, dans la pure littéralité, ni dans la transparence, ni dans l'ambiguïté. Mais cette délimitation négative est évidemment insuffisante, et ne rend pas compte de la complexité des rapports hiérarchiques des sens — complexité que j'ai dû ici évoquer, et non signifier.

# La direction de l'évocation

L'évocation symbolique est foncièrement multiple. Les traducteurs littéraires le savent bien, qui essaient de transposer dans une autre langue non seulement le sens direct d'une phrase, mais aussi ses diverses résonances symboliques; la difficulté vient précisément de leur multiplicité, car si l'on poursuit l'une on perd l'autre : comment faire pour garder à la fois l'exactitude sémantique, la ressemblance phonique, l'évocation intertextuelle, l'implication concernant l'énonciateur — et combien d'autres encore?

Dans le présent chapitre je voudrais passer en revue encore quelques-unes des subdivisions possibles du domaine symbolique : celles qui proviennent, en l'occurrence, du choix que font les interlocuteurs de la *direction* même, dans laquelle faire fonctionner l'évocation.

## Énoncé et énonciation

Une première répartition massive vient de ce que les procédés de l'évocation symbolique peuvent « se fonder sur le *contenu de l'énoncé* » ou bien « mettre en cause le *fait de l'énonciation* » (O. Ducrot). La différence est radicale : dans le premier cas, l'interlocuteur part sur l'objet de l'énoncé, et lui ajoute un contenu du même ordre; dans le second, l'énoncé est perçu comme action, non comme moyen de transmettre une information, et l'implication concerne celui qui parle, le sujet et non plus l'objet. Un extrait de Henry James *(l'Age difficile)* illustre bien ces deux formes d'évocation. Dans sa conversation avec Mr. Longdon, Vanderbank affirme que Mrs. Brook, depuis quelques années, rajeunit sa fille. Mr. Longdon comprend parfaitement bien l'implication de l'énoncé : à savoir, que Mrs. Brook cherche à se rajeunir elle-même. Mais il ne s'y arrête même pas : ce qui le frappe dans cette phrase, c'est que Vanderbank ait pu l'énoncer, c'est-à-dire qu'il se permette de dire du mal de ses amis en leur absence. L'interprétation que Mr. Longdon fait de cet énoncé aboutit donc, à peu de choses près, à retourner vers l'énonciateur : « vous êtes un être vulgaire ». La répartition du symbolisme entre énoncé et énonciation coïncide ici avec une autre distinction, volontaire-involontaire, ou même conscient-inconscient; mais une telle distribution n'est pas obligatoire : on peut évidemment viser à susciter des implications concernant l'énonciation de façon parfaitement consciente : j'emploie des mots incompréhensibles pour qu'on me croie savant, par exemple.

En fait, une implication concernant l'énonciation est obligatoirement présente dans toute évocation symbolique (on doit donc compléter ici l'image du processus interprétatif évoquée au début de cet exposé). En effet, pour parvenir à l'implication concernant l'énoncé (« Mrs. Brook cherche à se rajeunir elle-même »), Mr. Longdon a dû se dire au préalable : l'énoncé selon lequel Mrs. Brook cherche à rajeunir sa fille ne satisfait pas au principe de pertinence, s'il ne veut dire que ce qu'il signifie; mais, *connaissant Vanderbank* (et c'est ici qu'on se réfère à l'énonciation), je présume que cet énoncé veut dire quelque chose de plus, à savoir que Mrs. Brook cherche à se rajeunir elle-même. La référence à l'énonciation est donc déjà présente; mais elle peut jouer un rôle dominant ou subordonné, comme dans ce premier cas; et il est alors possible de la mettre provisoirement entre parenthèses, pour opposer les implications concernant l'énoncé ou l'énonciation.

### Ironie

Le phénomène complexe de l'*ironie* peut être éclairé à la lumière de ces distinctions. L'ironie joue simultanément sur l'énoncé et l'énonciation, plus ou moins selon les cas ; les descriptions de l'ironie n'ont habituellement retenu qu'un seul de ces aspects. Prenons deux exemples. Si je dis : « Quel beau temps ! » alors qu'il pleut des cordes, je veux dire, comme l'affirment les rhétoriciens depuis l'Antiquité, le contraire de ce que je dis : quel mauvais temps ! Mais l'interlocuteur, pour comprendre cela, a dû penser également à une implication concernant l'énonciation, et me concernant : pour constater l'ironie, il a admis au préalable que je connaissais le sens des mots, et que j'étais en possession de mes facultés.

Prenons maintenant cette autre phrase : « Les Pingouins avaient la première armée du monde. Les Marsouins aussi » (Anatole France). Je ne cherche plus à dire ici, comme veulent les rhétoriciens, le contraire de ce que je dis : si je remplace, à la façon dont j'opérais dans le premier exemple, « première » par son contraire, « dernière », je n'obtiens pas le sens indirect et non-ironique de mon énoncé initial ; j'obtiens un nouvel énoncé ironique, exactement aussi ironique que le premier. L'implication concerne ici l'énonciation : l'absurdité de l'énoncé initial implique que le sujet parlant n'assume pas son énoncé, il imite plutôt une énonciation autre (par exemple celle des Pingouins, et celle des Marsouins, distinctes l'une de l'autre). L'ironie se laisserait traduire ici non par une substitution par le contraire, mais par l'inclusion de l'énoncé dans un autre énoncé : « Je ne dis pas que *p* », et donc « Certains (mais pas moi) diraient que *p* » ; l'ironie équivaut alors à une (pseudo) citation, à une mise entre guillemets (D. Sperber). Pourtant, dans ce cas d'accent mis sur l'énonciation, l'implication concernant l'énoncé n'est pas non plus totalement absente : je veux bien dire, en effet, que l'armée des Pingouins *n'est pas* la première du monde, pas plus que celle des Marsouins. Dans les deux exemples, donc, l'évocation est double, concernant et l'énoncé et l'énonciation ; mais dans ce qu'on pourrait appeler l'ironie-antiphrase, l'accent tombe sur l'inversion du contenu de l'énoncé ; alors que, dans l'ironie-citation, il concerne l'inauthenticité de l'acte initial d'énonciation.

L'*hyperbole* et la *litote* reposent sur un mécanisme semblable. Quand on dit : « L'éternité ne sera pour moi qu'un instant », l'auditeur comprend à la fois que l'éternité paraîtrait brève (association concernant l'énoncé, impliquant l'exagération) et que celui qui parle met une insistance particulière dans ce qu'il dit (association concernant l'énonciation). Le fameux : « Va, je ne te hais point » sera interprété à la fois comme une désignation diminuée du sentiment en question, et comme une preuve de la retenue de celui qui parle. Les deux associations s'impliquent toujours mutuellement, mais l'accent peut tomber tantôt sur l'une, tantôt sur l'autre.

*Intertextualité*

Une deuxième grande différence dans la direction de l'évocation, qui permet de distinguer entre les faits symboliques, vient de ce que l'évocation *vise ou non un autre texte*, qu'elle atterrit, pour ainsi dire, dans le signifiant ou dans le signifié.

L'association peut, en effet, aboutir à d'autres mots, pris dans leur particularité phonétique, morphologique, stylistique; ces faits ont mérité dans la littérature récente le nom d'*intertextualité;* et ils sont extrêmement variés en eux-mêmes. Je me contenterai d'évoquer les grands principes sous-jacents à cette variété. L'un est quantitatif : un texte peut en évoquer un seul autre, comme *Jacques le Fataliste* joue avec *Tristram Shandy;* ou un genre entier, comme *Don Quichotte* pour les romans de chevalerie; ou un milieu particulier, comme une phrase argotique pour le milieu où l'argot a cours; ou une époque entière, comme *Madame Bovary* pour la littérature romantique. L'autre est qualitatif : l'évocation peut aller de la condamnation (comme habituellement dans les parodies) à l'éloge (impliqué par l'imitation et la stylisation).

J'ajouterai deux remarques plus générales à ce rappel rapide. La première est que les faits intertextuels se situent à la limite du domaine symbolique, et parfois le débordent. C'est que toute évocation de l'absent n'est pas symbolique. Il y a bien des cas où l'association avec un autre texte est précisément le sens que veut transmettre le segment linguistique présent; mais il en est d'autres, où cette association fonctionne plutôt comme une condition pour la constitution du sens de l'énoncé donné, sans devenir, à aucun moment, ce sens même. *Tristram Shandy* n'est pas le sens indirect de *Jacques le Fataliste*, mais le rapport des deux est nécessaire pour établir le sens, direct et indirect, de ce dernier roman. A côté des évocations symboliques, il en existe donc d'autres, dont la fonction est avant tout de contribuer à la formation d'une configuration, et qu'on pourrait, pour cette raison, appeler les rapports *figuraux*.

La seconde remarque a trait aux limites qui permettent de circonscrire le fait intertextuel lui-même : fait dont l'existence se trouve menacée par son omniprésence. Quoi qu'en dise Montaigne, il n'existe pas de langage privé; les mots sont à tous; et par conséquent dès qu'on s'engage dans l'activité verbale, on évoque des discours antérieurs — par le fait même qu'on se sert des mêmes mots, de la même grammaire. Il est probable que si l'on épluche soigneusement toutes les publications qui ont immédiatement précédé *les Fleurs du mal*, on trouvera non seulement tous les mots employés par Baudelaire, ce qui va de soi, mais même tous ses syntagmes; et l'on sait que la critique des sources ne s'est pas privée d'établir de tels rapprochements. Mais à voir l'intertextualité partout, on perd les moyens d'identifier et de distinguer les textes où elle joue un rôle constitutif. Il faut donc que le principe global de la présence nécessaire d'une dimension intertextuelle soit modéré et nuancé par des règles ponctuelles, qui permettent d'établir les cas où l'intertextualité est pertinente ou non.

*Extratextuel, intratextuel*

Une troisième façon de distinguer parmi les faits symboliques selon la direction de l'évocation, consiste à se demander si le sens indirect concerne le texte même d'où on est parti, ou bien lui est extérieur; à séparer donc symbolisme *intratextuel* et *extratextuel* (dans *S/Z*, Barthes appelle le premier *code sémique*, le second, *code symbolique*).

Ce dernier cas se passe de commentaires : le parcours faustien symbolise le destin de l'humanité, comme celui de Don Juan, les vicissitudes du rapport amoureux; ces « points d'arrivée » ne sont pas intérieurs aux textes de Gœthe et de Molière. Lorsque, en revanche, un vieux matelot jette un nœud de cordes entre les mains du capitaine Delano, dans *Benito Cereno* de Melville, ce nœud ne symbolise rien d'autre que le problème auquel le capitaine est confronté en même temps : Delano reste sur le bord du bateau, « nœud dans les mains et nœud dans la tête », comme écrit Melville.

Le symbolisme intratextuel est grandement responsable de la façon dont se construisent les caractères et la pensée (pour prendre deux catégories aristotéliciennes) au sein d'une fiction. L'auteur a, à sa disposition, deux moyens pour construire ses personnages : en nommant directement leurs qualités ou en laissant au lecteur le souci de les déduire à partir de leurs faits et dits; on sait que, au cours de son histoire, la littérature s'est attachée tantôt à l'un, tantôt à l'autre mode de présentation. De même pour la communication des idées générales : Constant ou Proust terminent facilement un paragraphe par une phrase nettement distinguée de ce qui la précède, écrite au présent intemporel et précédée d'un quantificateur universel. Mais d'autres renoncent à toute formulation de sentences, et ne continuent pas moins de transmettre des idées générales : seulement, ils le font en incitant le lecteur à les déduire à partir des actions qui composent l'intrigue du livre. Ce sont là autant d'exemples où le « point d'arrivée » de l'évocation symbolique est dans le texte même.

Comme dans le cas des rapports intertextuels, il faut réserver ici la place pour des rapports intratextuels qui ne sont pas symboliques mais figuraux. Que chaque chapitre d'une nouvelle soit plus long (ou plus court) que le précédent, introduit dans le récit une gradation et un rythme, nécessaires à l'interprétation du chapitre; mais cela ne veut pas dire qu'un chapitre en symbolise un autre.

*Contextes : paradigmatique et syntagmatique*

On ajoutera enfin ici une quatrième distinction qui concerne, non plus la direction de l'évocation proprement dite, mais la nature des moyens permettant d'établir le sens indirect (que ce soit dans sa production ou dans sa réception). On appliquera de nouveau une distinction déjà introduite lors de la discussion des indices qui conduisent à l'interprétation : celle entre référence au contexte syntagmatique immédiat et renvoi à la mémoire collective, au savoir partagé par les membres d'une société (c'est ce que visait, semble-t-il, la célèbre distinction de Schleiermacher entre interprétation *technique* et *grammaticale*, cf. plus loin p. 152).

Le symbolisme qui repose sur la mémoire collective est celui-là même qu'essaient de répertorier les nombreux dictionnaires des symboles, quelles qu'en soient l'inspiration et l'ambition. C'est aussi un outil indispensable des interprétations religieuses ou psychanalytiques : ces stratégies exégétiques possèdent chacune leur « vocabulaire », des listes préétablies d'équivalences, qui permettent de substituer plus ou moins automatiquement un sens à une image. On connaît de même les lectures ésotériques (alchimiques, astrologiques, etc.) auxquelles on peut soumettre n'importe quel texte, en obtenant des résultats souvent surprenants. On sait que la critique littéraire dite interne s'est précisément refusée à tout recours à des « facilités » de ce genre : si le chiffre trois doit symboliser quelque chose, ce n'est pas parce que « trois » évoque ceci ou cela dans la mémoire de tous les lecteurs, mais parce qu'il apparaît dans tels contextes particuliers, au sein même de l'œuvre qu'on est en train d'interpréter.

En pratique, nous usons constamment des deux registres. Lorsque Mr. Longdon interprétait « elle rajeunit sa fille », par : « donc elle veut se rajeunir », il devait faire appel à un lieu commun au sein de sa société, selon lequel une des actions a toujours pour but l'autre. Remarquons à ce propos la nature des lieux communs et, par conséquent, la façon dont se présente la mémoire collective. Si l'on demandait à quelqu'un d'énumérer les règles de la société à laquelle il appartient, il ne penserait certainement pas à celle qui a permis l'inférence présente. Pourtant, il a suffi qu'un personnage énonce la première phrase, pour que Mr. Longdon, et avec lui les lecteurs du roman, saisissent le sous-entendu, qui implique bien la présence de cet enchaînement dans leur esprit. C'est que cette mémoire est passive; son contenu ne se trouve convoqué que grâce à la focalisation qu'opère, justement, la phrase donnée. Les lieux communs sont, plutôt que présents, *disponibles* dans la mémoire de chacun. Les inférences, quant à elles, ne se conforment pas, cela va sans dire, aux règles strictes de la logique formelle; elles correspondent à ce qu'Aristote appelait « enthymème », ou syllogisme rhétorique, qui conduit à la vraisemblance plutôt qu'à la vérité.

En revanche lorsque Mr. Longdon dit à son compagnon à une autre occasion : votre mère m'a consolé plus que d'autres, et que Vanderbank interprète : vous voulez dire que vous l'aimiez sans réciprocité, il le fait en se référant non pas à la mémoire collective mais au contexte immédiat : dans les phrases précédentes Mr. Longdon lui-même a établi la solidarité des deux faits : les femmes qu'il aimait se contentaient de le consoler.

C'est cette référence possible à deux cadres différents (le contexte syntagmatique ou la mémoire collective) qui permet de comprendre un mécanisme évoqué au chapitre précédent, celui du remplacement du « sens fondamental » par le « sens vedette »; le mot d'esprit joue fréquemment sur la possibilité d'évoquer deux sens *différents* d'un mot en même temps grâce à cette double référence. Par exemple :

— Comment allez-vous? dit l'aveugle au paralytique.
— Comme vous le voyez, répond ce dernier à l'aveugle.

La mémoire collective (ici, proprement linguistique) fait venir à l'esprit le sens courant, donc fondamental, des locutions « comment allez-vous » et « comme vous le voyez ». Le contexte syntagmatique immédiat (les mots « aveugle », « paralytique ») réveille le sens littéral des éléments composant ces locutions (aller, voir).

La différence importante entre ces deux formes d'évocation symbolique est que dans l'un le savoir partagé nécessaire à l'interprétation doit être explicitement énoncé, et donc assumé par son locuteur; alors que la référence implicite caractéristique de l'autre impose aux interlocuteurs la *complicité*. C'est parce qu'ils ont une mémoire collective commune et appartiennent au même groupe social, qu'ils peuvent se comprendre. L'affirmation de cette complicité peut même être le seul but réel de telle évocation indirecte : c'est d'ailleurs là un excellent moyen pour faire accepter une assertion sans avoir à la formuler, et donc à la soumettre à l'attention critique de l'interlocuteur; c'est ce que savent bien tous les spécialistes de la persuasion et de la démagogie. Le refus de comprendre est le seul moyen de refuser cette complicité (je me refuse à reconnaître par le rire, donc à comprendre, les mots d'esprit racistes).

# La structure logique

L'aspect peut-être le plus débattu du procès symbolique est le rapport entre les deux sens, direct et indirect : confrontant là deux entités comparables, comment décrire la relation qui s'établit entre elles ? On pourrait dire, en schématisant, que deux types de réponses ont été apportées : les unes cherchent à calquer les rapports symboliques sur ce que l'on sait des rapports discursifs ; les autres décrivent le symbolique de façon spécifique, sans chercher à le rapprocher des autres associations que l'on observe à l'œuvre dans le langage.

## Taxinomies globales

La première voie est présente depuis l'Antiquité, mais on ne peut pas dire qu'elle ait été explorée de façon systématique. J'ai rappelé, au début de cet exposé, les rapprochements possibles entre les différentes classifications d'Aristote, ainsi que la théorie des idées accessoires dans la *Logique* de Port-Royal et dans sa postérité. Les Stoïciens appelaient « signe » l'inférence propositionnelle, et le logicien indien Mahimabhaṭṭale affirmait, contre les théoriciens du *dhvani* — de la suggestion — que cette dernière n'est qu'un cas particulier de l'inférence. On sait encore que Quintilien définissait la métaphore (rapport symbolique) comme une comparaison (rapport discursif) condensée. A la fin du XIXe siècle, le linguiste russe A. Potebnia pousse le parallèle plus loin : il met sur le même plan synecdoque et épithète, ne retenant que la différence entre implicite et explicite, et élargit ainsi la formule de Quintilien :

> Toute dénomination accomplie nous livre la comparaison de deux complexes mentaux : le signifiant et le signifié [Potebnia identifie donc le couple sujet-prédicat au couple signifiant-signifié]. Lorsqu'on exprime verbalement et l'un et l'autre, le rapport entre les deux peut être aussi bien synecdochique que métonymique ou métaphorique *(Iz zapisok po teorii slovesnosti. Poézija i proza).*

La subtilité dans la description du symbolique sera, dès lors, à la mesure de celle qui est déployée pour ce qui concerne les relations discursives. Empson postule, dans *The Structure of Complex Words*, que le rapport entre sens direct et indirect peut être traduit par la formule de la prédication, « *A* est *B* », où *A* et *B* seront deux sens d'un mot; et il analyse ensuite cette proposition élémentaire en quatre variantes sémantiques : « *A* est inclus dans *B* », « *A* entraîne *B* », « *A* est comparable à *B* » et, un cas un peu à part, « *A* est typique de *B* »; ce qui cadre assez bien avec la subdivision rhétorique traditionnelle en synecdoque (appartenance), métonymie (causalité) et métaphore (comparaison, ressemblance). Si l'on partait pour le domaine discursif plutôt du système des cas grammaticaux, on aurait une spécification du symbolique que les catégories traditionnelles de la rhétorique ne permettent pas de reproduire : l'appartenance donnerait lieu au génitif et à la synecdoque, l'apposition, l'attribut seraient liés à la métaphore (qui a des rapports aussi avec la coordination); mais la métonymie mélangerait des rapports de causalité (transitivité, accusatif), d'instrument à action (instrumental), de circonstances à action (locatif), et on voit mal le trope qui correspondrait au datif... Si en revanche on réduit, avec Bally, les rapports discursifs à deux seulement, l'inhérence et la compénétration d'un côté, la relation et l'extériorité de l'autre, il n'est pas difficile de reconnaître là, la métaphore et la métonymie.

## Taxinomies spécifiques

La plupart du temps, cependant, on a cherché à décrire les rapports dans le symbolisme de façon autonome, sans confronter les résultats obtenus à ceux dont dispose l'étude sémantique du discours (isolement évidemment regrettable, d'autant que seul un tel rapprochement permet de poser cette question pertinente : puisque les tropes peuvent être explicités en propositions, et les sous-entendus, en inférences, pourquoi toute proposition ne se laisse-t-elle pas condenser en trope, et toute inférence, en sous-entendu ?). Deux grandes classifications ont dominé la tradition occidentale, toutes deux remontant à Aristote, mais à des textes différents; en fait, malgré ce qu'il paraît à première vue, elles ne sont pas tout à fait indépendantes l'une de l'autre.

La première trouve son origine dans la *Poétique*, où Aristote évoque quatre classes de transpositions (le terme « métaphore » a, alors, un sens générique) : « ou du genre à l'espèce, ou de l'espèce au genre, ou de l'espèce à l'espèce, ou d'après le rapport d'analogie » (1457 b). En laissant pour l'instant de côté le rapport analogique, qui s'oppose visiblement aux trois autres pris en bloc, on s'aperçoit qu'on a affaire ici à une combinatoire à deux dimensions, espèce-genre et point de départ-point d'arrivée (ou sens direct et sens indirect), dont trois produits sont énumérés, tandis que le quatrième manque : du genre au genre. On pourrait les désigner par les termes rhétoriques courants : du genre à l'espèce = synecdoque particularisante; de l'espèce au genre = synecdoque généralisante; de l'espèce à l'espèce = métaphore. La variété manquante, du genre au genre, correspond à la métonymie : alors que la métaphore implique deux termes (espèces) ayant une propriété (genre) en commun — par exemple « amour » et « flamme » sont tous deux « brûlants » —, la métonymie exige qu'un terme (espèce) soit qualifiable par deux propriétés indépendantes, ou décomposables en deux (au moins) parties contiguës — par exemple la doctrine catholique et son siège géographique étant deux aspects d'une même entité, on peut désigner l'une par le nom de l'autre : « Rome ». Si la métaphore, comme disait Potebnia, implique un prédicat commun pour deux sujets différents, la métonymie, elle, exige qu'un même sujet soit doté de deux prédicats différents. Cette classification très « logique » a, curieusement, joui d'une faible popularité. On peut en trouver un écho, au xviiie siècle, chez Lessing qui oppose, dans les *Traités sur la fable*, l'*allégorie*, désignation d'un particulier par un autre particulier, à l'*exemple*, désignation du général par un particulier. Les termes de « général » et « particulier » sont en effet convertibles en « genre » et « espèce »; mais il est vrai aussi que l'exemple et l'allégorie désignent des variétés du symbolisme propositionnel, non lexical (j'y reviendrai). Ou peut se reporter encore à Schelling, dans la *Philosophie de l'art*, où l'allégorie est définie comme passage du particulier au général, et le schématisme, comme passage du général au particulier (alors que le « symbole » est l'interpénétration des deux). Mais c'est à peu près tout.

C'est une autre classification aristotélicienne qui a connu meilleure fortune. Aristote ne l'appliquait pas aux tropes, mais aux associations en général : qui peuvent être, disait-il au chapitre ii du traité *De la mémoire*, par ressemblance, par proximité et par contrariété. Saint Augustin transposera cette division aux tropes (et aux rapports étymologiques) dans une œuvre de jeunesse, *De la dialectique*, et à partir de ce moment on la trouvera tout au long de l'histoire de la rhétorique en Occident (Cicéron et Quintilien se contentaient, à cet égard, d'une énumération sans classement). C'est sans doute le caractère plus concret et évocateur, plus « psychologique », de ces appellations qui leur a assuré un tel succès. La liste subit d'ailleurs des modifications mineures : on trouve chez Vossius quatre rapports fondamentaux, la participation ayant rejoint les trois autres; chez Beauzée, trois seulement, mais plus tout à fait les mêmes : c'est la contrariété qui est partie. Chez Jakobson, on le sait, on revient à deux seulement, ressemblance et contiguïté; mais un Kenneth Burke parle encore de « *four master tropes* », métaphore, métonymie, synecdoque et ironie, liste équivalente à celle de Vossius. C'est dans ce contexte qu'on peut comprendre le plus facilement pourquoi la métaphore, trope de ressemblance, a joui, parmi tous les autres tropes, de la plus grande popularité :

c'est que la ressemblance, à la différence de la contiguïté, etc., répète la relation constitutive de toute évocation symbolique, soit une certaine mise en équivalence, une « surimposition », puisqu'un premier sens permet d'en évoquer un second. La métaphore est donc comme l'incarnation la plus nette du rapport symbolique : c'est de l'équivalence (de la ressemblance) au carré, alors que la métonymie combine de l'hétérogène : équivalence et contiguïté. En même temps, les évocations par ressemblance ont un effet cumulatif : toutes les parties d'un texte peuvent symboliser la même chose; alors que les évocations par contiguïté ou coexistence sont distributives : à chaque segment du texte correspond une association particulière.

La difficulté de cette classification tient à son caractère arbitraire : pourquoi n'y aurait-il que trois types d'association, ou quatre, ou deux? C'est pour remédier à cet arbitraire que Jakobson a voulu lier les deux espèces d'associations à deux processus linguistiques fondamentaux, la sélection et la combinaison (catégories que nous avons vues à l'œuvre dans la tradition rhétorique, notamment chez Cicéron). Mais la tentative la plus réussie pour expliciter les bases de cette classification me paraît rester celle de la *Rhétorique générale*, qui a pour elle le mérite de relier l'une à l'autre les deux classifications d'Aristote : la participation égale l'inclusion (passage du genre à l'espèce ou de l'espèce au genre); la ressemblance, le passage d'une espèce à une autre; la contiguïté, le passage d'un genre à un autre genre, par l'intermédiaire d'une espèce commune.

La même catégorisation peut être transposée sur le plan propositionnel : Aristote et Lessing avaient commencé à le faire. On parlera d'*exemple* ou d'*illustration* lorsqu'une proposition particulière évoque une vérité générale; de *sentence* dans le cas opposé (c'est le *schématisme* de Schelling). Le terme d'*allégorie* pourrait être spécifié ici en « rapport symbolique de ressemblance entre propositions » (la *typologie* chrétienne en sera une variante), alors qu'on réservera le terme d'*implication* pour la contiguïté ou la coexistence; *allusion* conviendrait également dans certains cas. Le tableau suivant résume ces propositions terminologiques :

| TERMINOLOGIE « LOGIQUE » | TERMINOLOGIE « PSYCHO- LOGIQUE » | SYMBOLISME LEXICAL | SYMBOLISME PROPOSI- TIONNEL |
|---|---|---|---|
| particulier-général, espèce-genre | participation, généralisation | synecdoque générali-sante | exemple, illustration |
| général-particulier, genre-espèce | participation, particula-risation | synecdoque particula-risante | sentence, schématisme |
| particulier-particulier, espèce-espèce | ressemblance, comparaison | métaphore | allégorie, typologie |
| général-général, genre-genre | contiguïté, coexistence | métonymie | implication, allusion |

Cette première grille peut évidemment être compliquée à l'infini par des subdivisions ultérieures. Mentionnons pour mémoire la différence, déjà perçue par Aristote, entre métaphore simple et métaphore analogique (ou, dans les termes de Peirce, entre image et diagramme, deux variétés de l'icône); ou celle, familière à Quintilien, entre synecdoque matérielle (partie-tout) et conceptuelle (genre-espèce); ou celle qui permet de séparer deux espèces de synecdoque, particularisante et générali-sante, d'une part, de la personnification et de l'antonomase, de l'autre, et qui est simplement la différence entre nom com-mun et nom propre; d'autres encore, qu'on trouvera dans les traités de rhétorique, anciens et modernes.

Lors d'une évocation concrète, plusieurs opérations s'enchaî-nent à la suite l'une de l'autre, bien que nous les percevions instantanément. Lorsque Mr. Longdon tire la conclusion que

l'on sait sur le caractère de Vanderbank, il procède d'abord par
généralisation (la phrase de Vanderbank est un exemple de
trahison des amis), ensuite par implication (trahir ses amis, c'est
faire preuve d'un esprit vulgaire), pour finir sur une nouvelle
particularisation (Vanderbank est un être participant de ce dernier esprit) — qu'il n'exprime d'ailleurs nullement sous cette
forme directe, se contentant de dire : je vous trouve bien différent
des gens de ma génération.

### Critique

J'ai voulu résumer ici les efforts taxinomiques des rhétoriciens
du passé ; et pourtant, l'importance qu'ont prise les débats
autour de ces termes, leur popularité même, me paraissent lar-
gement imméritées. L'intérêt d'une telle classification est purement pratique ; telle quelle, elle ne comporte aucune hypothèse
sur la nature des faits symboliques. Une fois qu'on s'est donné
deux termes, général et particulier, on peut répartir tous les
objets du monde dans les classes qui résultent de leur combinaison ; manier des ensembles plus petits que celui de tous les
faits symboliques est certes plus commode, mais cela ne dit rien
sur la nature des objets regroupés. Il est cependant possible
qu'on découvre une contrepartie psychologique à ces catégories
(comme l'a suggéré Jakobson pour la ressemblance et la contiguïté), auquel cas les subdivisions retrouvent leur pertinence.

### Le détour paronymique

Les associations dont je viens de parler opèrent toutes entre
des fragments du monde (objets, actions, etc.) ; ce n'est pas un
hasard si seuls les morphèmes référants peuvent devenir le point
de départ d'associations symboliques (mais non les conjonctions,
les prépositions, etc.). Cela ne doit pas nous faire penser que les
rapports associatifs entre mots sont impossibles ; les relations

intertextuelles évoquées plus haut sont un exemple du contraire. Même dans une association à partir du signifié, les signifiants peuvent jouer un rôle; mais alors, le propre de ce dernier rapport est de ne pouvoir exister sans l'autre : même si on ne l'a pas cherchée, une motivation sémantique seconde obligatoirement la ressemblance phonique ou graphique. On parlera donc, dans ces cas, d'un *détour paronymique* (les paronymes sont des mots de forme semblable et de sens indépendant), facultatif, et donc secondaire, par rapport au sémantique, mais qui est capable d'en décupler l'intensité : le locuteur associe, en quelque sorte, la langue à son propre point de vue, puisqu'il se range en apparence à celui des mots : la composition du vocabulaire, chose incontestable et honorable, confirme son énoncé (de même que, réciproquement, il suffit du rapprochement de deux choses pour qu'on soupçonne leur similarité, on l'a vu).

Le détour paronymique suit les mêmes voies dans l'évocation symbolique que dans la prédication discursive (où il est plus aisé de l'observer). Les trois domaines historiquement constitués où son rôle semble le plus important sont le raisonnement étymologique, la poésie, le jeu de mots.

Le *raisonnement étymologique* vise à prouver la parenté des sens par la proximité des formes; il déborde la recherche étymologique proprement dite, telle qu'elle se pratique de nos jours, et qui s'intéresse à la seule filiation historique des formes : chez Platon *(Cratyle)*, l'affinité formelle et sémantique ne se veut pas historique; chez Heidegger, le sens original est en même temps le sens vrai. Le raisonnement étymologique (ce que Jean Paulhan appelait « la preuve par l'étymologie ») est également produit de façon spontanée, en dehors de la grammaire et de la philosophie : on parle dans ce cas d'étymologie populaire, source facile d'humour volontaire (Tabourot : le parlement est un lieu où on parle et ment) ou non (l'origine des hommes chez les grenouilles, selon Brisset).

Il y a loin, semble-t-il à première vue, de l'étymologie populaire à la poésie. Mais que fait le poète qui rime *songe* avec *mensonge*, sinon établir un rapport harmonieux et satisfaisant, bien que momentané, de forme et de sens :

satisfaisant parce qu'il contente cette aspiration obscure vers l'ordre qui est à la base même de l'étymologie populaire. (...) Être poète, c'est, selon Mallarmé, « donner un sens plus pur aux mots de la tribu ». Il y aurait donc comme une poésie inconsciente à donner à un mot un sens apparemment plus approprié à sa structure phonétique : ce serait le cas d'un *fruste* se rapprochant par le sens de *brusque* et de *rustre* (J. Orr, *Essais d'étymologie et de philologie françaises*).

Le principe paronymique, lui-même variante de la loi du parallélisme, n'est peut-être pas aussi important pour la *poésie* qu'on a tendance à le dire tous les cent ans, découvrant à neuf la puissance des sons; il ne fait pas moins partie de la définition même du discours poétique.

Lorsque Humpty-Dumpty explique que *slithy* signifie *lithe* et *slimy*, ou *mimsy*, *flimsy* et *miserable* (dans la transposition française d'Henri Parisot « *slictueux* signifie souple, actif, onctueux », « *flivoreux* signifie frivole et malheureux »), il trouve, comme par hasard, des synonymes qui sont aussi des paronymes : seul le rapport sémantique est affirmé, mais la langue est d'accord avec Humpty-Dumpty. Lorsque Hevesi dit d'un poète italien, antimilitariste dans l'âme mais obligé de célébrer en vers l'empereur allemand : « Ne pouvant chasser les Césars, il fit au moins sauter les césures », il semble ne rapprocher que des sonorités semblables; mais César et césure, termes dépourvus de relations dans le vocabulaire, deviennent dans ce contexte discursif des antonymes, l'essentiel s'opposant à l'insignifiant. Dans ces *jeux de mots*, comme dans tous les calembours, de « bon » ou de « mauvais » goût, on fonde ou justifie le rapport des sens par celui des sons.

Mais celui-ci ne remplace ni n'évince jamais celui-là.

# Indétermination du sens?

## Indétermination du symbolique

Une différence évidente et radicale entre l'enchaînement discursif et l'évocation symbolique réside en ce que l'un est objectivement présent alors que l'autre se produit seulement dans la conscience de qui parle et de qui entend. De ce fait, la seconde n'aura jamais le degré de précision et de certitude que possède le premier, elle ne peut que s'en rapprocher : on aura beau essayer de déterminer au maximum l'évocation, elle ne peut jamais égaler l'explicitation discursive.

Même si le sens indirect est en apparence présent, comme par exemple dans les métaphores *in praesentia*, le fait du rapprochement des deux sens, de leur mise en équivalence, peut être interprété d'une infinité de façons. La comparaison la plus explicite, celle qui précise quel motif réunit ses deux termes, ouvre néanmoins toujours la possibilité de chercher une autre association. La comparaison est foncièrement double, avec une équivalence antécédente (discursive) et une équivalence conséquente (symbolique) (Henle); les écrivains le savent bien, qui, tout en motivant ouvertement leurs comparaisons, leur font jouer un rôle d'enclencheur d'associations sur d'autres plans. Décrivant l'enfant qui sera plus tard saint Julien, Flaubert écrit : « La mine rose et les yeux bleus, il ressemblait à un petit Jésus. » La comparaison est motivée par la ressemblance physique (partie antécédente) mais elle induit aussi à l'idée de sainteté future (partie conséquente); on avait un exemple semblable dans « comme le dallage d'une église ». Au cours de la scène du carnage d'animaux, « le ciel était rouge comme une nappe de sang » : la couleur n'est

75

évidemment que le point de départ d'autres associations, et le sang est présent ici par bien d'autres propriétés que par sa couleur.

Reconnaître l'indétermination constitutive de toute évocation *in absentia* est une chose; voir tout processus symbolique comme essentiellement indéterminé ou, ce qui revient à peu près au même, placer tous les faits symboliques sur une échelle de valeurs dont le degré supérieur serait occupé par le symbole le moins déterminé, en est évidemment une autre. C'est pourtant vers une telle valorisation de l'indéterminé qu'ont tendu les efforts des théoriciens et des poètes en Occident depuis l'époque romantique, à travers les péripéties « symbolistes » ou « surréalistes ». Les romantiques, il est vrai, postulent l'existence de deux pôles du champ symbolique, qu'ils appellent « allégorie » et « symbole »; mais leur préférence pour ce dernier est si évidente que les allégories n'apparaissent plus que comme des symboles ratés. Or, c'est bien le caractère inépuisable et donc intraduisible de l'un, clos et déterminé de l'autre, qui oppose les deux formes, quels que soient les termes choisis pour les désigner. L'idée dans le symbole, dit Humboldt, « reste éternellement insaisissable en elle-même »; « même dite dans toutes les langues, elle reste indicible », ajoute Gœthe. De même pour l'opposition entre comparaison et symbole, chez Hegel, ou entre prose et poésie chez A. W. Schlegel : « La vue non poétique des choses est celle qui les tient pour réglées par la perception des sens et les déterminations de la raison; la vue poétique est celle qui les interprète continuellement et y voit un caractère figuré inépuisable. »

## Degrés d'indétermination

Une façon plus équilibrée de voir les choses consisterait à poser la différence (quantitative) entre évocation fortement et faiblement déterminée, en s'abstenant, au départ, de tout jugement de valeur. Le premier à avoir examiné, dans le détail et sans parti pris, cette opposition entre des expressions symboliques dont on peut établir le sens nouveau et celles où pareille précision est impossible, semble être le grand rhétoricien et grammairien arabe Abdalqahir al Jurjani, au xɪᵉ siècle. Selon Jurjani, les tropes sont de deux sortes : de l'intellect ou de l'imagination. Les premiers sont ceux dont le sens est établi immédiatement et avec certitude; l'affirmation qu'ils transmettent peut être, par conséquent, vraie ou fausse, par exemple « j'ai vu un lion », en parlant d'un homme (curieuse coïncidence des rhétoriques grecque, sanscrite et arabe dans cet exemple : Achille, Devadata et Ahmed sont, tous trois, « un lion »...). Les tropes de l'imagination, en revanche, ne visent aucun objet précis, ils ne disent donc ni vrai ni faux; la recherche de leurs sens est un processus prolongé, à la limite infini : ils sont « impossibles à limiter sauf par approximation » et le poète qui s'en sert « est semblable à celui qui puise dans un lac inépuisable, ou à l'extracteur d'un minerai lui aussi inépuisable ». Quel est, demande Jurjani, l'objet visé par l'expression « les rênes du matin », ou « les mains du vent », ou « les chevaux de la jeunesse »? On ne peut le décider facilement *(Asrar al balaga)*. On trouve, à l'époque moderne, une tentative comparable chez Ph. Wheelwright *(Metaphor and Reality)*, qui oppose la *diaphore* indéterminée à l'*épiphore* où nos associations sont plus strictement contrôlées.

L'écriture romantique et post-romantique (comme d'autres avant elle) a cherché à cultiver la « diaphore » au détriment de l'« épiphore »; ce qui lui a valu une réputation d'obscurité. L'obscurité elle-même n'est pas un fait massif et inanalysable; ses causes ne sont pas toujours semblables. Quelques exemples pourront illustrer leur variété et nous familiariser davantage avec la problématique de l'indétermination.

*Exemples : Nerval*

*Les Chimères* de Nerval, particulièrement *El Desdichado* et *Artémis*, ont paru aux yeux des lecteurs contemporains, tout comme aux nôtres, des textes hermétiques. Leur obscurité, cependant, n'est pas de n'importe quelle espèce. Relisons les deux derniers tercets d'*El Desdichado*.

Suis-je Amour ou Phébus?... Lusignan ou Biron?
Mon front est rouge encor du baiser de la reine;
J'ai rêvé dans la grotte où nage la sirène...

Et j'ai deux fois vainqueur traversé l'Achéron :
Modulant tour à tour sur la lyre d'Orphée
Les soupirs de la sainte et les cris de la fée.

Même le critique le plus adonné à la méthode « immanente »
ou « structurale » se voit obligé, face à ces vers, d'avoir recours à
la recherche historique. L'abondance de noms propres est révéla-
trice : avant de pouvoir se demander pourquoi Nerval a réuni
ainsi ces personnages, on doit s'informer sur l'ensemble d'associations culturelles attachées à leurs noms : Amour, Phébus,
Lusignan, Biron, Achéron, Orphée. Même si elle n'en est pas
automatiquement dissipée, l'obscurité de ce texte commencera à
faiblir : une exploration de la mémoire collective est donc indispensable. De même, si les quatre personnages féminins ne reçoivent pas, eux, de noms propres, ils n'en renvoient pas moins à
d'autres textes qui, une fois rappelés, permettent de surmonter
la difficulté (connaître, par exemple, l'épisode des cris de la fée
Mélusine séparée de Lusignan). Si le poème est obscur, c'est qu'il
existe un savoir précis qui manque au lecteur; une fois ce savoir
suppléé, la voie de la compréhension est ouverte (ce n'est, bien
sûr, qu'un début). « La fée » ou « Amour » ne sont pas des termes
indéterminés, dont la spécification est laissée à la volonté du
lecteur, incité à associer librement là-dessus, mais, bien au
contraire, des termes aux évocations strictement contrôlées. La
vérité existe; seulement la voie y conduisant est difficile à suivre.

### Rimbaud

L'obscurité d'un Rimbaud est d'un tout autre ordre.
Plus exactement, dans les *Illuminations* (pour nous en tenir à
ce seul texte), on trouve des difficultés de deux ordres. Les premières, comparables après tout à celles de Nerval, viennent de

problèmes concernant le *référent*. Les phrases elles-mêmes qui composent le texte sont bien compréhensibles, mais l'objet qu'elles évoquent n'est jamais nommé et l'on peut donc hésiter sur son identification (*H* est l'exemple le plus net de cette série) ; ou bien, nommé, il cadre mal avec nos représentations courantes de ladite espèce d'objets (par exemple *Promontoire*) ; ou bien encore l'objet désigné se charge d'associations symboliques que nous ne parvenons pas à préciser *(Royauté)*. Ce que tous ces cas, pourtant bien différents, ont en commun, c'est que leur difficulté est de type référentiel, et non proprement sémantique : nous n'avons pas de peine à comprendre les phrases mais nous hésitons quant à l'identité de leur référent (dont l'existence n'est pas moins certaine) ou des associations attachées à celui-ci.

Il existe cependant un autre type de difficultés dans les *Illuminations*, au moins aussi abondamment représenté que le premier, où l'obscurité a des sources toutes différentes. Dans son traité d'herméneutique, *la Doctrine chrétienne*, saint Augustin reconnaissait deux types de difficultés pour l'interprétation (et donc, implicitement, deux formes de symbolisme) ; celles qui tiennent à la compréhension du discours et celles qui dépendent de notre connaissance des choses (II, XVI, 23). De même ici, après les difficultés indépendantes du discours, on achoppe sur celles qui sont entièrement dues au *discours lui-même*. L'intelligibilité du discours exige un certain degré de cohérence, que les textes de Rimbaud ne présentent pas toujours. Si l'on ne veut pas renoncer à les comprendre (si l'on n'abandonne pas le principe de pertinence), on est obligé d'emprunter la voie de l'évocation symbolique. Mais cette voie s'avère ici différente de ce qu'elle pouvait être ailleurs.

L'incohérence la plus massivement attestée dans les *Illuminations* joue entre phrases. Dans ces textes Rimbaud ignore, en quelque sorte, l'anaphore : deux phrases, même voisines, ne renvoient pas l'une à l'autre, ni au même référent. Un passage d'*Enfance* (III) illustre ce procédé de façon presque caricaturale :

Au bois il y a un oiseau, son chant vous arrête et vous fait rougir.

Il y a une horloge qui ne sonne pas.
Il y a une fondrière avec un nid de bêtes blanches.
Il y a une cathédrale qui descend et un lac qui monte (etc.).

Des objets, tous placés sur le même plan, sont parfaitement hétérogènes, et pourtant ils sont unifiés : référentiellement par le circonstant commun « au bois », et linguistiquement, par le parallélisme des constructions, commençant toutes par « il y a ».

Dans *Après le déluge* on doit se contenter de l'idée que le lieu où se jouxtent tous les événements est simplement l'univers, et que le temps est « après le déluge » :

> Dans la grande rue sale les étals se dressèrent, et l'on tira les barques vers la mer étagée là-haut comme sur des gravures.
> Le sang coula, chez Barbe-Bleue, — aux abattoirs, — dans les cirques, où le sceau de Dieu blêmit les fenêtres. Le sang et le lait coulèrent.
> Les castors bâtirent. Les « mazagrans » fumèrent dans les estaminets.
> Dans la grande maison de vitres encore ruisselante les enfants en deuil regardèrent les merveilleuses images.

La difficulté pour la compréhension d'un tel texte ne vient pas seulement du peu d'information dont on dispose sur chacun des objets évoqués (étals, barques, fenêtres, sang, lait, castors, estaminets, maison, enfants, images...), pourtant tous précédés de l'article défini, comme si leur identification allait de soi. On est au moins autant embarrassé par le peu de rapports qui existent entre lesdits objets — et donc par l'absence de ce qui, de ces phrases, fait *un* discours.

La difficulté s'accroît au fur et à mesure qu'on descend aux unités inférieures de la langue. Voici la troisième section de *Jeunesse* :

> Les voix instructives exilées... L'ingénuité physique amèrement rassise... Adagio. Ah ! l'égoïsme infini de l'adolescence, l'optimisme studieux : que le monde était plein de fleurs

cet été! Les airs et les formes mourant... Un cœur, pour
calmer l'impuissance et l'absence! Un cœur de verres de
mélodies nocturnes... En effet les nerfs vont vite chasser.

Ou un paragraphe d'*Angoisse* :

(O palmes! diamant! — Amour, force! — plus haut que
toutes joies et gloires! — de toutes façons, partout, —
Démon, dieu, — Jeunesse de cet être-ci : moi!)

Il n'y a plus ici des noms propres, comme chez Nerval, dont
on ignorerait le référent ou les associations courantes; les mots
employés appartiennent au vocabulaire commun. Ce qui
manque, ce sont des associations discursives explicites : nous
ignorons quels sont les rapports qui unissent ces mots, ces syntagmes (il ne suffit pas de la seule succession), tout comme nous
ne savions pas, dans les exemples précédents, ce qui justifiait
la présence et l'ordre de phrases, dont chacune était pourtant
suffisamment claire en elle-même. Les associations explicitées
dans le discours sont la base sur laquelle s'enchaînent les associations implicites de chaque lecteur; or, le processus interprétatif
est radicalement changé lorsque les évocations symboliques, aussi
ingénieuses soient-elles, se trouvent privées de piédestal : elles
flottent proprement dans l'air... Le résultat n'est pas, comme on
aurait pu l'imaginer, l'impossibilité de suppléer aux rapports
discursifs par des rapports symboliques, mais plutôt, au contraire,
la surabondance d'associations symboliques; parmi lesquelles
l'absence de fondations discursives ne permet pas de choisir. Il y
a trop de manières d'unir ces phrases inachevées de *Jeunesse*
en un tout, plutôt que pas assez.
    La discontinuité et l'incohérence ne sont que l'une des raisons
qui font le discours rimbaldien obscur en lui-même. Une autre
réside dans la difficulté que nous avons à identifier le référent
de chaque expression prise isolément. On a toujours le sentiment
que Rimbaud nomme le « genre proche » au lieu d'appeler
l'objet par son propre nom; d'où l'impression d'une grande
abstraction que laissent ces textes; nous ne parvenons jamais à
descendre du genre à l'espèce. Qu'est-ce qu'un « repos éclairé »

*(Veillées* I)? « une poudre noire [qui] pleut doucement sur ma veillée » et « les violettes frondaisons [qui] vont descendre » *(Phrases)*? qu'est-ce que « l'œuvre dévorante qui se rassemble et remonte dans les masses » *(Jeunesse* I)? ou la « comédie magnétique » *(Parade)*? Le référent ici n'est plus simplement caché; il est, par son essence même, inaccessible. Le résultat des diverses transformations sémantiques qu'on voit à l'œuvre chez Rimbaud est impressionnant, et nouveau : nous sommes mis en face d'un texte qui est, structurellement (et plus seulement par la force de contingences historiques), *indécidable,* un peu comme ces équations à plusieurs inconnues qui peuvent recevoir un nombre indéfini de solutions.

Que veut dire une suite comme « les feux à la pluie du vent de diamants... » *(Barbare)*? Un commentateur a proposé d'y voir une erreur de copie, les mots « du vent » étant tombés de la ligne supérieure. Ce qui me paraît remarquable dans ce cas est la possibilité même d'hésiter entre une coquille et une formulation intentionnelle : le propre du texte de Rimbaud est précisément d'avoir rendu l'hésitation possible, d'avoir conquis un droit de cité dans la littérature pour de tels textes indécidables. L'importance historique de ce geste, à la lumière de ce qu'est devenue la poésie occidentale des cent dernières années, me paraît difficile à surestimer.

## Symbolistes

L'exigence de lire le texte « littéralement et dans tous les sens » (ce qui veut dire aussi : dans aucun) est devenue le trait distinctif de la poésie, puis de la critique, modernes. Mais souvent, derrière la même revendication d'indétermination du sens, se cachent et se révèlent des réalités différentes.

La poésie symboliste avait dans son programme une exigence semblable. D'abord, on devait symboliser plutôt que signifier. Mallarmé disait : « Nommer un objet, c'est supprimer les trois quarts de la jouissance d'un poème qui est faite du bonheur de deviner peu à peu; le suggérer, voilà le rêve », ou encore : « Je crois qu'il faut qu'il n'y ait qu'allusion »; et Anatole France s'exclamait, indigné : « Non plus exprimer, mais suggérer! Au fond c'est là toute la poétique nouvelle. » De plus, la symbolisation ne devait pas avoir d'objet précis : c'est en cela que le symbole est, justement, supérieur à l'allégorie. Un Maeterlinck, qui reprenait à son compte la distinction romantique bien connue, illustrait l'idéal symboliste. On a vu déjà combien les « indices » incitant à l'interprétation étaient chez lui nombreux et insistants : répétitions au sein des répliques ou entre scènes; inutilité narrative des propos ou des séquences, et donc discontinuité; attention démesurée accordée à des détails insignifiants — dont on se dit que, pour être justifiés, ils doivent bien avoir un sens ailleurs. Mais, justement, ce sens n'est jamais précisé. Par exemple, Pelléas et Mélisande, au bord de la mer, échangent ces propos :

> *Mélisande :* Quelque chose sort du port...
> *Pelléas :* Il faut que ce soit un grand navire... (...)
> *Mélisande :* Le navire est dans la lumière... Il est déjà bien loin...
> *Pelléas :* Il s'éloigne à toutes voiles... (...)
> *Mélisande :* Pourquoi s'en va-t-il cette nuit?... On ne le voit presque plus... Il fera peut-être naufrage...
> *Pelléas :* La nuit tombe très vite... (...)
> *Pelléas :* On ne voit plus rien sur la mer...
> *Mélisande :* Je vois d'autres lumières.

Cet échange d'informations sur le bateau, la mer et les lumières, n'a aucune justification narrative; mais, pour cette raison précisément, le spectateur juge qu'il en a une autre, « symbolique ». Arrivé là, à moins de se référer à des codes externes préétablis, il ne reçoit, de l'œuvre, aucune détermination précise. On peut se demander si le grand succès de ces pièces à l'époque, et leur oubli tout aussi impressionnant aujourd'hui, n'est pas lié à cette propriété même de l'écriture symboliste : elle implique une complicité du lecteur/auditeur, qui doit à tout instant suppléer les sens manquants, profiter de ce que les mots ont été mis en état de résonance; ce que le lecteur d'une autre époque, ne communiant plus dans la même atmosphère, ne peut pas faire — et le texte tombe à plat, n'étant plus porté par une réception comme sollicitée. Chez Maeterlinck comme chez Rimbaud il y a indétermination du sens; mais la différence est énorme : l'un produit une révolution dans le langage, l'autre demande à ses lecteurs de rêver sur des phrases insignifiantes.

## Kafka

Les récits de Franz Kafka sont devenus, de nos jours, un autre exemple caractéristique d'indétermination du sens. On sait que l'étrangeté de ces textes a poussé leurs premiers interprètes à les considérer comme des « paraboles à peine déguisées » d'autre chose — mais, précisément, l'accord ne s'est jamais fait sur la nature de cette autre chose. Est-ce une problématique essentiellement religieuse? Ou une anticipation des malheurs d'un monde par trop matérialiste et bureaucratisé? Ou bien encore les luttes de Kafka lui-même, les rapports avec son père, la difficulté de se marier? L'abondance même des interprétations les rend suspectes, et elle a conduit une seconde vague d'exégètes à affirmer que le propre du texte kafkaïen est précisément de se prêter à une pluralité d'interprétations sans en authentifier aucune. Ainsi écrivait W. Emrich *(Kafka)* :

> Toutes les possibilités d'interprétation restent ouvertes; chacune contient une certaine vraisemblance, aucune n'est sûre de façon univoque. (...) La caractéristique de l'œuvre de Kafka réside précisément en ce qu'aucun sens déterminable de façon univoque ne peut être fixé « derrière » les apparences, les événements et les discours qui la remplissent...

A supposer qu'il en soit bien ainsi, par quel moyen Kafka produit-il cet effet de symbolisme indécidable? Marthe Robert a proposé l'explication que voici : les événements mêmes, représentés dans ces récits, ne sont jamais que des instances d'interprétation — et d'interprétation impossible; le symbolique est à la fois le principe constructeur et le thème fondamental du texte.

> Tous les récits de Kafka contiennent avec la même netteté le dessin de cette lutte désespérée du héros pour savoir à quoi s'en tenir sur la vérité des symboles *(Kafka)*. [Par conséquent] le héros de Kafka est exactement dans la même situation que son exégète (...), lui aussi a affaire avec les symboles, lui aussi y croit spontanément, leur trouve hâtivement un sens sur lequel il croit pouvoir régler sa vie, mais en cela justement il est perpétuellement dupé... *(Sur le papier)*.

Joseph K. essaie en vain de savoir pourquoi la justice le poursuit, K. l'arpenteur est engagé dans une quête désespérée de l'identité du château, et le condamné de *la Colonie pénitentiaire* ne parvient à déchiffrer sa sentence qu'au moment où, pénétrant profondément dans son corps, elle le tue. Il y a donc comme une opposition irréductible, et profondément déroutante pour l'interprétation, entre la clarté de l'appareil allégorique mis en œuvre par Kafka, et l'obscurité du message qu'il délivre, entre l'incitation textuelle à tout allégoriser et l'impossibilité narrative de trouver le sens — ceci devenant le message de cela.

Ces exemples n'épuisent certainement pas les formes de l'« obscurité » dans la littérature moderne, la variété qu'y prend l'indétermination du sens. Mais ils illustrent, d'une part, l'existence même de cette variété (ou, si l'on préfère, l'imprécision de termes comme « obscur », « indéterminé », « polyvalent », etc.), et de l'autre, la nécessaire présence de conditions bien particulières, pour séparer les textes « indécidables » des autres. Séparation qui instaure une différence et ouvre la voie à une analyse lucide, plutôt que de nous enfermer dans la stérile mystique de l'ineffable.

# Bibliographie sommaire

*L'immensité du domaine, l'abondance de la littérature qui lui est consacrée, rendraient vaine toute tentative de constituer une bibliographie tant soit peu complète sur la « symbolique du langage ». Je me contente donc ici de signaler quelques ouvrages qui* a) *ont joué un rôle important pour la formation de mes propres idées, ou bien* b) *permettent de s'orienter parmi les différentes écoles et tendances qui ont existé ou qui existent encore. On trouvera d'autres références, ponctuelles, dans deux études que j'ai publiées auparavant, et qu'on peut considérer comme des versions préliminaires (et donc maintenant périmées) du présent exposé :* « Introduction à la symbolique », Poétique, *11, 1972, p. 273-308, et* « Le symbolisme linguistique », in Savoir, faire, espérer : les limites de la raison, Bruxelles, *1976, p. 593-622. Mon livre les* Genres du discours *(Paris, 1978) contient des analyses qui souvent illustrent les notions décrites ici.*

## 1. Quelques ouvrages historiques

Kunjunni Raja (K.), *Indian Theories of Meaning*, Madras, 1963 (une vue d'ensemble sur les théories sanscrites médiévales).

Pépin (J.), *Mythe et Allégorie*, Paris, 2e éd. 1977 (les origines grecques et chrétiennes).

Ricœur (P.), *La Métaphore vive*, Paris, 1975 (vue d'ensemble sur les théories contemporaines anglo-saxonnes et françaises).

Sørensen (B. A.), *Symbol und Symbolismus in der ästhetischen Theorien des 18. Jhds und der deutschen Romantik*, Copenhague, 1963 (une période particulièrement féconde : préromantisme et romantisme allemands).

Szondi (P.), *Einführung in die literarische Hermeneutik*, Francfort, 1975 (histoire du passage de l'herméneutique religieuse à l'herméneutique littéraire, au XVIIIe et au XIXe siècle, en Allemagne).

# BIBLIOGRAPHIE SOMMAIRE

Todorov (T.), *Théories du symbole*, Paris, 1977 (quelques théories particulièrement importantes, celle de saint Augustin, la rhétorique classique, les romantiques allemands, Freud).

## 2. *Quelques études théoriques*

Booth (W.), *A Rhetoric of Irony*, Chicago, 1974.
Dubois (J.) *et al.*, *Rhétorique générale*, Paris, 1970.
Ducrot (O.), *Dire et ne pas dire*, Paris, 1972.
Empson (W.), *The Structure of Complex Words*, Londres, 1950 (traduction partielle en français : « Les assertions dans les mots », *Poétique*, 6, 1971, p. 239-270).
Grice (P.), « Logic and Conversation », in P. Cole et J. L. Morgan (eds.), *Syntax and Semantics*, vol. III, *Speech Acts*, New York, 1975, p. 41-58.
Henle (P.), « Metaphor », in P. Henle (ed.), *Language, Thought and Culture*, Ann Arbor, 1958, p. 173-195.
Hirsch (E. D.), *Validity in Interpretation*, New Haven, 1967.
Kerbrat-Orecchioni (C.), *La Connotation*, Lyon, 1977.
Piaget (J.), *La Formation du symbole chez l'enfant*, Paris-Neuchâtel, 1945.
Schleiermacher (F.), *Hermeneutik*, Heidelberg, 1959.
Sperber (D.), *Le Symbolisme en général*, Paris, 1974.
Strawson (P. H.), « Phrase et acte de parole », *Langages*, 17, 1970, p. 19-33.
Todorov (T.), « Le sens des sons », *Poétique*, 11, 1972, p. 446-462.

# 2. Les stratégies de l'interprétation

L'art de l'interprétation ne peut se montrer en pleine lumière que dans des œuvres *sémiotiques*.

*Friedrich Schlegel*

Je me suis déjà expliqué sur la différence entre une description des conditions *générales* dans lesquelles se déroulent les activités tant symboliques qu'interprétatives, et une étude des choix *particuliers*, opérés au sein de tous les possibles, par tel genre littéraire, ou telle stratégie exégétique. Différence de niveau, qui conduit en même temps à deux perspectives complémentaires, théorique et historique. Cette deuxième partie de mon étude sera donc à la fois une particularisation des catégories énumérées jusqu'ici, et une mise à l'épreuve : dans quelle mesure la théorie permet-elle de rendre compte de la réalité historique?

Pour mener à bien cette tâche, j'ai choisi, d'abord, le versant interprétatif (de préférence à celui de la production), puisqu'il m'a semblé moins exploré. J'ai retenu, ensuite, deux grandes écoles exégétiques, parmi bien d'autres : à la fois parce que leur influence a été plus forte que toute autre, et parce que leur articulation historique me paraît riche en enseignements. Ce sont l'exégèse patristique et la philologie. Mon étude de ces deux stratégies ne se veut pas originale sur le plan historique; son but est plutôt d'apporter un complément nécessaire à l'exposé général qui précède.

# Une interprétation finaliste : l'exégèse patristique

## L'ENCLENCHEMENT DE L'INTERPRÉTATION

Le premier exemple sera celui d'une stratégie qui, dans le monde occidental, est restée dominante plus longtemps que toute autre : l'exégèse biblique, telle qu'elle s'est formée aux premiers siècles du christianisme et perpétuée jusqu'au dix-septième siècle à peu près. Je choisis comme texte de référence les écrits théoriques de saint Augustin que je ne m'interdis pas pour autant de compléter par quelques références à ceux qui ont préparé son chemin ou à ceux, bien plus nombreux, qui l'ont suivi [1].

1. La question a été abondamment et savamment traitée. Voici quelques titres utiles : E. Moirat, *Notion augustinienne de l'herméneutique*, Clermont-Ferrand, 1906; M. Comeau, *Saint Augustin, exégète du 4e Évangile*, Paris, 1930; H.-I. Marrou, *Saint Augustin et la fin de la culture antique*, Paris, 1938; M. Pontet, *L'exégèse de Saint Augustin prédicateur*, Paris, 1945; J. Pépin, « Saint Augustin et la fonction protreptique de l'allégorie », *Recherches augustiniennes*, Paris, 1958, p. 243-286; J. Pépin, « A propos de l'histoire de l'exégèse allégorique, l'absurdité signe de l'allégorie », in *Studia patristica*, t. I, Berlin, 1957, p. 395-413; G. Strauss, *Schriftgebrauch, Schriftauslegung und Schriftbeweis bei Augustin*, Tübingen, 1959; U. Duchrow, *Sprachverständnis und biblisches Hören bei Augustinus*, Tübingen, 1965. On se référera également aux parties correspondantes des histoires de l'herméneutique, telles que C. Spicq, *Esquisse d'une histoire de l'exégèse latine au Moyen Âge*, Paris, 1944; J. Pépin, *Mythe et allégorie*, Paris, 1958 (2e éd., 1977); H. de Lubac, *Exégèse médiévale, Les quatre sens de l'Écriture* (4 vol.), Paris, 1959-1964; R. M. Grant, *L'Interprétation de la Bible des origines chrétiennes à nos jours*, Paris, 1967. Le traité, à tous égards capital, de saint Augustin *La Doctrine chrétienne* sera désigné dorénavant par l'abréviation DC et sera cité dans la traduction de la Bibliothèque augustinienne.

## Principe général

L'interprétation (en tant que distincte de la compréhension) n'est pas, on l'a vu, un acte automatique; il faut que quelque chose, dans le texte ou en dehors de lui, indique que le sens immédiat est insuffisant, qu'il doit être considéré seulement comme le point de départ d'une enquête dont l'aboutissement sera un sens second. Quel est ici l'indice enclenchant l'exégèse?

La stratégie patristique comporte une réponse détaillée à cette question. Mais en fait tous les détails s'en ramènent à un principe unique. C'est qu'au départ, il n'y a pas un seul sens mais déjà deux : le sens immédiat des mots qui forment le texte de la Bible et le sens dont nous savons qu'elle est pourvue puisqu'elle est, comme l'a dit saint Paul, divinement inspirée; appelons ce dernier, pour simplifier, la doctrine chrétienne. L'interprétation naît de la distance (non nécessaire mais fréquente) entre ces deux sens; elle n'est rien d'autre que le parcours qui, par une série de mises en équivalence, nous permet de relier, et donc d'identifier, l'un à l'autre.

L'indice qui enclenche l'interprétation ne se trouve donc pas dans le texte lui-même mais dans sa confrontation incessante avec un autre texte (celui de la doctrine chrétienne) et dans la différence possible entre les deux. Saint Augustin est on ne peut plus clair là-dessus : l'interprétation doit s'exercer sur toute expression figurée. Or, comment découvre-t-on qu'une expression n'est pas à prendre au sens propre?

> Montrons d'abord le moyen de découvrir si l'expression est propre ou figurée. Le voici en un mot. Tout ce qui, dans la parole divine, ne peut se rapporter, pris au sens propre, ni à l'honnêteté des mœurs ni à la vérité de la foi, est dit, sachez-le bien, au sens figuré (*DC*, III, X, 14).

Ce principe est si massif et général que le travail d'enclenchement n'est pas nécessairement réglementé de façon explicite: il suffira toujours de se reporter au principe. Il n'en reste pas moins qu'on peut énumérer quelques cas plus particuliers où le principe est adapté à des circonstances concrètes; ici, ce sont des propriétés inhérentes au texte lui-même qui signalent la nécessité d'interpréter.

## Invraisemblances doctrinales

Premièrement, sont figurés, et donc à interpréter, tous les passages qui contredisent ouvertement la doctrine chrétienne. Il s'agit par conséquent d'une contradiction *in absentia*, d'une *invraisemblance doctrinale*. Voici la règle énoncée par saint Augustin :

> La locution formule-t-elle un précepte, interdisant soit une turpitude, soit une iniquité ou ordonnant soit un acte utile soit un acte bienfaisant, elle n'est pas figurée. Paraît-elle, au contraire, ordonner soit une turpitude soit une iniquité ou interdire soit un acte utile soit un acte bienfaisant, elle est figurée (*DC*, III, XVI, 24). Pour ce qui est des actes et des paroles considérés prétendument par les ignorants comme des turpitudes et mises au compte soit de Dieu, soit des hommes dont on nous vante la sainteté, ils sont entièrement figurés. [Suit l'exemple :] Ainsi un homme de sens rassis ne croira d'aucune manière que les pieds du Seigneur ont été arrosés d'un parfum précieux par une femme à la façon dont on arrose d'habitude les pieds des hommes voluptueux et corrompus au cours de ces banquets spéciaux que nous avons en horreur. Car la bonne odeur, c'est la bonne renommée que chacun obtient par les œuvres d'une vie sainte en marchant sur les traces du Christ et en répandant, pour ainsi dire, sur ses pieds le plus précieux des parfums. Ainsi un acte qui, chez d'autres personnes, est la plupart du temps une turpitude, devient, chez la personne de Dieu ou d'un prophète, le signe d'une grande chose (*DC*, III, XII, 18).

*Invraisemblances matérielles*

En second lieu, il n'est même pas nécessaire que le texte de la Bible soit offensant pour la religion chrétienne, il suffit qu'il contredise le simple bon sens, les connaissances communes; c'est une *invraisemblance* non plus doctrinale mais, en quelque sorte, *matérielle*. Saint Augustin est également explicite ici :

> Lorsqu'une pensée exprimée par des termes pris au sens propre est absurde, il faut de toute force se demander si cette pensée que nous ne comprenons pas, n'a pas été, par hasard, exprimée sous la forme de tel ou tel trope (*DC*, III, XXIX, 41).

Voici l'application de cette règle :

> Un indice en effet doit avertir le lecteur que ce récit n'est pas à entendre au sens charnel : c'est que les herbes vertes et les arbres fruitiers constituent la nourriture que la Genèse attribue à toute espèce d'animaux, à tous les oiseaux comme à tous les serpents; or nous voyons bien que les lions... se nourrissent exclusivement de viande. (...) Pourquoi l'Esprit Saint introduit-il certaines déclarations qui, appliquées au monde visible, semblent absurdes, si ce n'est pour nous contraindre, ne pouvant les entendre à la lettre, à en rechercher le sens spirituel? (*In Ps.*, 77, 26-27).

*Superfluités*

Enfin, troisièmement, il n'est pas nécessaire que le texte biblique calomnie Dieu ou ses fidèles, ou même qu'il offense la raison; il suffit qu'il comprenne des fragments dont l'utilité pour la doctrine chrétienne n'est pas évidente. Ce qui produit la figure de *superfluité*, indice qui consiste en l'absence du positif plutôt qu'en la présence du négatif. Saint Augustin s'en explique dans un autre texte : on doit considérer comme figuré non seulement ce qui, pris littéralement, serait choquant, mais aussi ce qui serait inutile au point de vue religieux (*De Gen. ad. litt.* IX, 12, 22).

On aura remarqué un certain air de parenté entre ces divers procédés : dans aucun cas on ne découvre l'existence d'un sens second, et donc la nécessité d'interpréter, par une confrontation de segments co-présents dans le texte; les invraisemblances et superfluités codifiées par saint Augustin résultent toutes du rappel d'un autre texte, présent seulement dans la mémoire, qui est la doctrine chrétienne elle-même. Autrement dit, les indices enclenchant l'interprétation dans la stratégie patristique sont paradigmatiques, non syntagmatiques. Voilà aussi ce qui différencie une stratégie d'une autre; si j'avais pris comme exemple la glose rabbinique, on aurait observé une répartition inverse. Mais, naturellement, ce qui est plus encore caractéristique de l'exégèse patristique, c'est l'absence de la nécessité de disposer d'indices formels pour décider qu'un texte est à interpréter; l'obligation d'interpréter est, en quelque sorte, donnée d'avance.

## LE CHOIX DES SEGMENTS INTERPRÉTABLES

N'importe quel segment du texte, dans l'exégèse patristique, peut devenir objet d'interprétation, pourvu qu'il tombe sous le coup du principe général. Néanmoins il existe des segments qui, de par leur nature même, appellent l'interprétation plus souvent que d'autres. La stratégie patristique ne paraît pas être en cela particulièrement originale, car on trouve un choix semblable dans d'autres stratégies interprétatives contemporaines.

Le principe auquel on peut ramener les raisons du choix d'un segment plutôt que d'un autre est le suivant : plus le *sens linguistique* est *pauvre* et donc sa compréhension limitée, plus *l'évocation symbolique* se greffe facilement dessus, et plus donc l'interprétation est *riche*. Comme il existe dans le lexique des mots au sens particulièrement limité, ce seront eux qu'on choisira, de préférence aux autres, comme matière à interpréter.

*Noms propres*

La classe de mots de sens le plus pauvre est évidemment celle des *noms propres*. Ce qui explique que, dans quasiment toute tradition exégétique, une attention particulière leur soit accordée. Saint Augustin ne fait ici que suivre la tradition :

> Il y a beaucoup de mots hébreux qui n'ont pas été traduits par les auteurs de ces mêmes livres [de la Bible] et qui constitueraient bien certainement une force et une aide fort appréciables pour résoudre les énigmes des Écritures, si quelqu'un pouvait en faire la traduction. Un certain nombre d'excellents hébraïsants, il est vrai, ont rendu un service signalé à la postérité, en détachant de l'Écriture, et en les traduisant, tous les mots de cette catégorie. Ils nous ont ainsi donné la signification d'Adam, d'Ève, d'Abraham, de Moïse, et aussi les noms de lieu, Jérusalem, Sion, Jéricho, Sinaï, Liban, Jourdain, et de tous autres mots hébreux qui sont reconnus (*DC*, II, XVI, 23).

Noms propres, et noms propres étrangers, donc encore moins compréhensibles, de préférence. Saint Augustin trouve une justification purement chrétienne à cette pratique : le Christ, en donnant un nom neuf à Simon (Pierre), n'a-t-il pas prouvé que les noms ne sont pas arbitraires?

*Nombres*

Pour être les plus pauvres en sens, les noms propres ne sont pas les seuls à satisfaire à l'exigence exégétique. Un autre exemple de segments linguistiques très fréquemment interprétés, est constitué par les *nombres* (qui ne sont pas « asémiques » mais « monosémiques »). Saint Augustin peut en témoigner encore :

L'ignorance des nombres, elle aussi, empêche de comprendre une foule d'expressions employées dans les Écritures sous une forme transposée et symbolique. A coup sûr, un esprit, comment dirai-je? bien né est nécessairement porté à se demander que signifie le fait, pour Moïse, Élie et le Seigneur, d'avoir jeûné quarante jours. Or, ce fait pose un problème symbolique qui n'est résolu que par un examen attentif de ce nombre. Il comprend quatre fois dix, et, par là, comme la connaissance, incluse dans le temps, de toutes choses. C'est par un rythme quaternaire que se poursuit le cours du jour et de l'année (...). Le nombre dix, lui, symbolise la connaissance du Créateur et de la Créature; trois désignant la Trinité du Créateur, sept la Créature, considérée dans son âme et dans son corps. De fait, il y a dans la première trois mouvements qui la portent à aimer Dieu, de tout son cœur, de toute son âme, de tout son esprit, et dans le second, quatre éléments très manifestes qui le constituent. Par suite, ce nombre nous insinue à la cadence du temps, c'est-à-dire en revenant quatre fois, de vivre, détachés des plaisirs temporels, dans la chasteté et la continence, et nous prescrit de jeûner quarante jours. Voilà ce que nous explique la loi personnifiée par Moïse, voilà ce que nous montre la prophétie représentée par Élie; voilà ce que nous enseigne le Seigneur lui-même (*DC*, II, XVI, 25).

Les opérations arithmologiques atteignent facilement, on le sait, une complexité vertigineuse. Car les grands nombres doivent être réduits aux petits, seuls pourvus d'un sens bien déterminé. L'analyse à laquelle saint Augustin soumet le chiffre 153 (nombre des poissons ramenés de la pêche miraculeuse) est célèbre. D'abord $153 = 1 + 2 + \ldots + 17$; c'est donc un nombre « triangulaire »; or $17 = 10 + 7$, c'est-à-dire la loi et le Saint-Esprit. Ou encore $153 = (50 \times 3) + 3$, mais 3 est la Trinité et $50 = (7 \times 7) + (1 \times 1)$, etc. (*Tract. in Joan.*, 122, 8, 1963). On trouverait, dans les traditions voisines, des exemples plus complexes encore et reposant sur des associations encore plus surprenantes.

## Noms techniques

Presque aussi pauvres en sens que les nombres sont les *noms techniques*, étrangers au lexique commun, qui désignent par exemple une classe d'êtres.

> L'ignorance des propriétés de certains animaux dont l'Écriture fait mention, embarrasse fort celui qui cherche à comprendre. Pareil embarras est produit par l'ignorance des pierres, des plantes et de tous les arbustes qui tiennent par des racines. Car la connaissance de l'escarboucle, qui brille dans les ténèbres, éclaire, à son tour, beaucoup d'obscurités des saints Livres, partout où cet animal est employé comme figure. D'autre part l'ignorance du béryl et du diamant ferme souvent les portes à la compréhension. Et s'il nous est facile de comprendre que le rameau d'olivier rapporté par la colombe à son retour dans l'arche symbolise la paix perpétuelle, cela tient uniquement à ce que nous savons que le moelleux contact de l'huile ne peut aisément être altéré par un liquide étranger, et que l'olivier lui-même est toujours couvert de feuilles (*DC*, II, XVI, 24).

Si un texte parle d'escarboucle, de béryl ou d'olivier, ce n'est sans doute pas pour eux-mêmes mais en vue de l'interprétation symbolique à laquelle on soumet ces espèces et donc ces mots.

Chacune de ces interprétations, on l'imagine, eût été bien plus difficile si elle s'appliquait à des phrases constituées de mots plus communs, sans noms propres ni chiffres. Mais il s'agit là d'une tendance de la langue même, et non pas imposée par un choix délibéré des Pères de l'Église.

## Motivation sémantique

Les deux sens, direct (celui des mots de la Bible) et indirect (celui de la doctrine chrétienne), étant donnés d'avance, l'interprétation consistera à montrer qu'ils sont équivalents. Or, il n'y a pas de moyens innombrables pour établir une équivalence sémantique : on le fait en suivant les voies du symbolisme *lexical* (abolissant donc le sens de l'assertion initiale dans laquelle se trouve intégré le segment à interpréter) ou du symbolisme *propositionnel* (en ajoutant à la première assertion une seconde). Le choix est si limité, que chaque pratique interprétative aura nécessairement recours aux deux possibilités. Ainsi, dans les exemples précités, le parfum est la bonne renommée : la première action n'a pas eu lieu, et c'est donc ici un cas de symbolisme lexical. En revanche, Jésus est bien resté quarante jours dans le désert : l'assertion initiale est maintenue; mais de plus, l'indication de la durée de ce séjour symbolise autre chose : il s'agit là d'un exemple de symbolisme propositionnel.

On pourrait aussi classer les associations en disant qu'elles vont du général au particulier, du particulier au général, du particulier au particulier, etc., formant des figures comme l'exemple, la métaphore, la synecdoque et ainsi de suite. On verra un peu plus loin quelle forme particulière de motivation revendique pour elle l'exégèse patristique; notons seulement ici qu'elle a une prédilection pour certaines formes du symbolisme propositionnel (maintien du sens littéral).

## Paronymie

La motivation sémantique est obligatoire; elle peut être, non pas remplacée, mais secondée par une motivation dans le signifiant, ou *paronymie*. Celle-ci prend, à son tour, plusieurs formes :

contamination (un mot simple est traité comme un mot-valise), notarikon (chaque lettre du mot est interprétée comme l'initiale d'un autre mot), simple calembour, etc. Toutes ces techniques sont présentes dans l'exégèse patristique et spécifiquement chez saint Augustin, mais elles semblent y venir de la tradition judaïque.

Les histoires de l'exégèse négligent, la plupart du temps, ce genre de détails : différence entre indices syntagmatiques et paradigmatiques, nature des segments interprétables, motivation lexicale ou propositionnelle, présence ou absence du détour paronymique. Elles ont tort, car l'étude de ces choix peut contribuer à éclairer précisément des questions historiques. On se demande par exemple si Théagène, « inventeur » de la méthode allégorique, n'est pas lui-même une invention plus tardive, du temps des Stoïciens, lesquels pratiquaient abondamment l'exégèse allégorique. Mais si les deux pratiques exégétiques se ressemblent vues de haut, elles diffèrent dans le détail : par exemple, chez les Stoïciens le détour paronymique est quasiment obligatoire ; chez Théagène, il n'est jamais présent. On dit encore : Philon, n'a-t-il pas pu emprunter sa méthode allégorique aux Stoïciens? Mais ceux-ci interprètent presque exclusivement des noms propres, alors que Philon accorde plus de place aux analyses de noms communs; il pratique simultanément symbolisme lexical et symbolisme propositionnel, alors que les Stoïciens s'en tiennent, dans ce domaine, au mot exclusivement. On pourrait multiplier aisément les exemples; on ne dira jamais assez le profit mutuel que tireraient en cette matière théorie et histoire, si elles se fréquentaient davantage.

### Unité du sens

En établissant une équivalence sémantique, ou motivation, on attribue au mot ou à la phrase un sens qui n'est pas habituellement le leur. Mais une telle stratégie interprétative est nécessairement une prise de contrôle sur les associations sémantiques, et non leur mise en liberté. Il faut donc trouver des *preuves* justifiant cette motivation, cette parenté des deux sens ou, mieux encore, établissant que les deux n'en font en fait qu'un. D'où une recherche systématique d'autres segments du texte où le mot — auquel on attribue ici un sens nouveau — possède déjà, et de manière incontestable, ce sens. A la base de cette recherche se trouve un principe non formulé mais qui n'en est pas moins puissant : un mot n'a au fond qu'un seul sens. C'est là ce qui pousse l'exégète à chercher l'accord derrière l'apparente diversité.

Saint Augustin formule ainsi cette règle : « On doit apprendre, d'après les passages où les termes sont employés dans un sens clair, la manière de les comprendre dans les passages où ils sont employés dans un sens obscur » (*DC*, III, XXVI, 37). Si on cherche à comprendre ce que veut dire « bouclier » dans tel psaume, il faut en relever le sens dans les autres psaumes. On ne doit pas, ajoute saint Augustin, appliquer cette règle aveuglément : le mot peut avoir plus d'un sens, et un sens peut être évoqué par plus d'un mot. Il n'y a pas là affirmation de l'unicité absolue du sens, mais seulement tendance à contrôler et restreindre la pluralité (on y reviendra).

A cette première règle de contrôle s'en ajoute une seconde : non seulement, en principe, le même mot, la même phrase ont toujours le même sens à l'intérieur d'un texte, mais les différents mots, les différentes phrases du texte ont à eux tous un seul et même sens. La variété des signifiants est tout aussi illusoire que celle des signifiés. Au fond, la Bible dit sans cesse la même chose, et si on ne comprend pas le sens d'un passage, il suffit de regarder celui d'un autre : ce sont les mêmes. Origène avait déjà formulé cet axiome : « Sachons que l'Écriture étant obscure, il ne faut pas chercher d'autres moyens pour la comprendre que de rapprocher les uns des autres les passages où des éléments d'exégèse se trouvent dispersés » *(Select. in Ps., Ps. 1)*. Saint Augustin le suit là-dessus : « Presque rien n'est extrait de ces obscurités qui ne se trouve très clairement dit ailleurs » (*DC*, II, VI, 8); et jusqu'à saint Thomas d'Aquin, qui reformule le principe : « Rien de nécessaire à la foi n'est contenu dans le sens spirituel qui ne soit contenu clairement ailleurs dans le sens littéral [1]. »

1. *Somme théologique*, Paris - Tournai - Rome, 1947, t. I, question I, article 10, solution 1.

## Concordances

A force de chercher à prouver ainsi l'unité du sens et du texte, on se trouve amené à un travail incessant de mise en relation intratextuelle, ou, comme on disait alors, de *concordance* — à tel point que parfois la recherche des équivalences devient un but en elle-même. On en trouve un bon exemple dans les *Sermons* de saint Augustin, qui, partant là de la position symétrique occupée par le Christ et saint Jean Baptiste, remonte à de très nombreuses et fines ressemblances et oppositions dans les textes les décrivant : le premier est né au solstice d'hiver, quand les jours croissent, le second au solstice d'été, quand les jours décroissent ; Jésus naît d'une mère jeune et vierge, Jean Baptiste d'une femme âgée ; l'un est grandi par sa mort puisqu'il est élevé sur la croix, l'autre est diminué car décapité, etc. (cf. Pontet, *op. cit.*, p. 141). On voit que saint Augustin est ici plus attentif encore aux oppositions qu'aux identités ; il n'est donc plus question de viser, par la mise en relation intratextuelle, l'établissement d'un sens unique (pas immédiatement, en tous les cas) ; l'analyse s'affranchit pendant un instant de la tutelle trop visible exercée par la recherche du sens.

La quête acharnée des concordances donnera naissance, quelque sept siècles plus tard, à une hérésie particulière : celle de Joachim de Flore. Joachim consacrera aux concordances tous ses efforts, consignés dans plusieurs ouvrages, dont l'un s'intitule même *Livre de la concordance entre les deux Testaments*. On y lit :

> Nous disons que la concordance est, à proprement parler, une similitude de proportions égales qui s'établit entre le Nouveau et l'Ancien Testament (...). C'est ainsi que des deux parts un personnage et un personnage, un ordre et un ordre, une guerre et une guerre se répondent en répliques semblables et se regardent avec de mutuels visages (...) de telle sorte que se dévoile légèrement le sens des choses, et que la similitude permet de mieux comprendre ce qui

est dit (...). Si nous raisonnons juste, il y a donc deux choses signifiantes pour une chose signifiée.

Et voici un exemple :

La concordance existe, pour reprendre un de nos exemples, entre Abraham et Zacharie parce que l'un et l'autre de ces personnages, déjà vieux, engendrèrent chacun, de leur femme jusqu'alors stérile, un fils unique. Et que l'on ne dise pas qu'il y a ici dissemblance parce que le patriarche Isaac engendra Jacob, alors que Jean n'engendra pas mais baptisa le Christ : en effet la génération charnelle fut affirmée dans celui-là qui fut le père d'un peuple de chair, Israël; et dans celui-ci fut affirmée la génération spirituelle, parce qu'il fut le père selon l'esprit de tout le peuple chrétien [1].

Ne croirait-on pas lire une « analyse structurale du mythe »? L'hérésie vient ici de ce que l'Ancien et le Nouveau Testaments sont mis exactement sur le même plan et que le privilège de celui-ci sur celui-là — base même de l'exégèse patristique, nous aurons encore à le dire — s'en trouve éliminé. A tel point que Joachim est prêt à interpréter non seulement l'Ancien Testament comme annonce du Nouveau, mais aussi le Nouveau comme annonce d'un troisième temps : la fin du monde toute proche. Au lieu qu'entre les deux Testaments s'instaure une relation d'accomplissement, comme le veut l'orthodoxie de la tradition, on n'a plus affaire qu'à une simple répétition, à deux signifiants, non hiérarchisés, d'un même signifié. Joachim est tout à fait explicite là-dessus :

Lorsque tu auras découvert ce que signifie l'Ancien Testament, tu n'auras pas besoin de chercher ce que signifie le Nouveau, car aucun doute ne peut plus dès lors s'élever à ce sujet, leurs deux sens ont une même acception et les deux Testaments ont *une* explication spirituelle (*ibid.*, p. 45).

---

1. J. de Flore, *L'Évangile éternel*, t. II, Paris, 1928, p. 41-42.

La pratique exégétique de Joachim, qui se trouvait déjà en germe dans certains textes d'Augustin, déborde tout à fait les cadres de l'exégèse patristique; c'est son propre intérêt, bien plus que sa valeur d'exemple, qui m'a retenu. Ce qui reste caractéristique de la stratégie chrétienne est *l'affirmation de l'unité de sens* de la Bible, et le contrôle dès lors exercé sur la polysémie.

## SENS NOUVEAU OU SENS ANCIEN?

L'exégète de la Bible n'a aucun doute quant au sens auquel il aboutira; c'est même là le point le plus solidement établi de sa stratégie : la Bible énonce la doctrine chrétienne. Ce n'est pas le travail d'interprétation qui permet d'établir le sens nouveau, bien au contraire, c'est la certitude concernant le sens nouveau qui guide l'interprétation. Origène [1] affirmait déjà que, pour bien interpréter l'Écriture, il faut (et il suffit de) connaître le message divin; inversement, pour celui qui l'ignore, l'Écriture restera obscure à jamais. « Les choses divines sont livrées aux hommes de façon un peu cachée, et restent d'autant plus cachées qu'on est incroyant ou indigne » (IV, 1, 7). « L'âme ne peut parvenir à la perfection de la connaissance que si elle a été inspirée par la vérité de la sagesse divine » (IV, 2, 7). On connaît donc d'avance le point d'arrivée; ce qu'on cherche c'est le meilleur chemin pour y parvenir. C'est la comparaison même dont use saint Augustin :

Si [le lecteur] se trompe, tout en donnant une interprétation qui édifie la charité, fin du précepte, il se trompe à la façon d'une personne qui, par erreur, abandonnerait la route et poursuivrait sa marche à travers champs, vers le point où, d'ailleurs, cette route conduit (*DC*, I, XXXVI, 41).

Une interprétation qui œuvre dans la charité ne peut être fausse.

1. *Traité des principes*, Paris, 1976.

Ce principe, pierre angulaire de l'exégèse patristique, est fréquemment formulé par tous ceux qui la pratiquent. « Pour Irénée... il n'existe qu'un seul critère d'interprétation correcte. Ce critère, c'est la règle de foi. » D'après Clément d'Alexandrie : « Comment le lecteur choisira-t-il parmi les sens de l'Écriture? Quel principe directeur guidera son interprétation? Pour un fidèle de l'Église, il ne peut y avoir qu'une seule réponse : la clé de toute l'Écriture, c'est la foi dans le Christ, dans sa personne et dans son œuvre ». Aux yeux de Tertullien, « la seule façon de choisir entre l'interprétation littérale ou allégorique de tel passage était de voir si son sens premier était ou non en accord avec l'enseignement de l'Église » (Grant, *op. cit.*,p. 62, 69, 91). Saint Augustin reformule fréquemment cette idée :

> Profitez de l'occasion pour avertir [le candidat à la conversion] que s'il entend même dans les écritures une parole à l'accent charnel, il ne doit pas moins croire, ne la comprît-il pas, qu'elle signifie une vérité spirituelle, relative à la sainteté des mœurs et à la vie future. Il apprend ainsi en peu de mots que tout ce qu'il entend dans les livres canoniques et ne peut rapporter à l'amour de l'éternité, de la vérité, de la sainteté et à l'amour du prochain, doit être regardé par lui comme une parole ou un acte figuré; et par suite, il tâchera de le comprendre de manière à le ramener à ce double amour (*De catech. rud.*, XXVI, 50).

On sait d'avance que les livres parlent d'amour; ce savoir procure donc à la fois l'indice des expressions chargées d'un sens symbolique ou second, et la nature même de ce sens. L'inconnue, dans ce travail, n'est pas le contenu de l'interprétation, mais la manière dont celle-ci se construit; non le « qu'est-ce que » mais le « comment ». C'est ce que dit aussi un énoncé plus bref de la même règle :

> Voici la règle à observer pour les locutions figurées : il faut examiner ce qu'on lit avec une attention minutieuse, jusqu'à ce que l'interprétation soit conduite à sa fin : le règne de la charité (*DC*, III, XV, 23).

Puisque c'est le sens « final » qui compte par-dessus tout, on se préoccupera peu du sens « originel » ou intention de l'auteur. La recherche de celui-ci est une préoccupation presque oiseuse, extérieure au projet de l'exégèse, qui est de relier le sens donné au sens nouveau.

> Quiconque tire de l'étude des Écritures une idée utile à l'édification de la charité, sans rendre pourtant la pensée authentique de l'auteur, dans le passage qu'il interprète, ne fait pas d'erreur pernicieuse ni ne commet le moindre mensonge (*DC*, I, XXXVI, 40).

Et encore :

> C'est une chose que de ne pas voir ce que l'auteur lui-même a pensé, c'en est une autre que de s'écarter de la règle de piété. Si toutes deux peuvent être évitées, la moisson du lecteur est à son comble. Mais si les deux ne peuvent être évitées, alors, même si l'intention de l'auteur peut être incertaine, il n'est pas inutile de faire jaillir une signification plus profonde, conforme à la vraie foi (*De Gen. ad. litt.* I, 21).

La recherche de l'intention passe de toutes les façons au deuxième plan, derrière l'édification de la charité et « la règle de piété ».

## LA DOCTRINE DES QUATRE SENS

Il est admis, depuis l'époque patristique, que l'Écriture a des sens multiples. La variante la plus commune de cette théorie consiste à dire que ce sens est quadruple, articulé d'abord sur une opposition entre sens *littéral* (ou historique) et sens *spirituel* (ou allégorique), ce dernier se subdivisant ensuite en trois : sens *allégorique* (ou typologique), sens *moral* (ou tropologique) et

106

sens *anagogique*. Une formule de saint Thomas d'Aquin codifie ainsi ce qui était depuis longtemps une opinion commune :

> La première signification, à savoir celle par laquelle les mots employés expriment certaines choses, correspond au premier sens, qui est le sens *historique* ou *littéral*. La signification seconde, par laquelle les choses exprimées par les mots signifient, de nouveau, d'autres choses, c'est ce qu'on appelle le sens *spirituel*, qui se fonde ainsi sur le premier et le suppose. A son tour, le sens spirituel se divise en trois sens distincts. En effet, l'Apôtre dit : « La loi ancienne est une figure de la loi nouvelle »; Denys ajoute : « La nouvelle loi est une figure de la loi à venir »; enfin, dans la nouvelle loi, ce qui a eu lieu dans le Chef est le signe de ce que nous-mêmes nous devons faire. Quand donc les choses de l'ancienne loi signifient celles de la loi nouvelle, on a le sens *allégorique*; quand les choses réalisées dans le Christ ou concernant les figures du Christ sont le signe de ce que nous devons faire, on a le sens *moral*; enfin, si l'on considère que ces mêmes choses signifient ce qui est de l'éternelle gloire, on a le sens *anagogique* (*Somme théologique*, question I, article 10, conclusion) [1].

Précisons d'abord quelques points de terminologie. Le sens moral est également appelé tropologique — terme qu'il vaut mieux éviter ici, pour ne pas confondre avec « trope ». « Allégorie » désigne tantôt l'ensemble des trois derniers sens, tantôt l'un d'entre eux; pour éviter encore les confusions, on parlera de sens spirituel dans le premier cas, de sens typologique ou, plus simplement, de typologie dans le second — bien que ce dernier terme ne soit pas d'un usage ancien.

---

1. L'exposé classique sur la question des quatre sens est celui de E. von Dobschütz, « Von vierfachen Schriftsinn. Die Geschichte einer Theorie », in *Harnack-Ehrung. Beiträge zur Kirchengeschichte*, Leipzig, 1921. Les quatre volumes de *l'Éxégèse médiévale* d'H. de Lubac examinent la question sous tous ses angles, mais ne sont pas d'un maniement facile. On peut lire en français l'exposé plus succinct d'A. Pézard, *Dante sous la pluie de feu*, Paris, 1943, appendice VIII, p. 372-400 : « Les quatre sens de l'Écriture ».

Voici maintenant l'exemple d'une interprétation selon les quatre sens, pratiquée par Dante dans la fameuse — bien que peut-être inauthentique — lettre à Cangrande :

> Pour que ce mode d'en user soit plus clair, on peut l'examiner sur ces versets : Quand Israël sortit d'Égypte, la maison de Jacob de chez un peuple barbare, Juda lui devint un sanctuaire et Israël son domaine (*Ps.* 113). Car si nous nous en tenons à la lettre, le sens est la sortie des fils d'Israël de l'Égypte au temps de Moïse. Si nous prenons l'allégorie, le sens est notre rédemption opérée par le Christ. Au sens moral, c'est la conversion de l'âme, de la douleur et de la misère du péché à l'état de grâce. Au sens anagogique, c'est le passage de l'âme sainte, de la servitude de la corruption présente à la liberté de la gloire éternelle.

On voit là qu'une manière de distinguer les trois sens spirituels est de les rapporter au temps : passé (typologique), présent (moral), futur (anagogique).

### Allégorie chrétienne?

Un problème reste encore très débattu de nos jours : c'est celui de l'*originalité de l'allégorie chrétienne* par rapport à l'allégorie païenne, contemporaine ou antérieure, telle qu'elle était pratiquée, notamment, dans la Grèce ancienne. On devine les deux thèses en présence : selon certains auteurs, la différence est purement substantielle, une forme déjà existante (l'allégorie païenne) a été appliquée à une matière nouvelle (l'idéologie chrétienne); selon d'autres auteurs, dont plusieurs sont des hommes d'Église, l'allégorie chrétienne est toute différente de l'allégorie païenne, et ce, jusque dans ses formes.

Sans entrer encore dans le détail, on peut observer que les trois sens spirituels sont dégagés à partir d'assertions maintenues : autrement dit, il s'agit d'un symbolisme propositionnel. Cette observation se formule habituellement comme : il y a exigence de maintenir le sens littéral. Et très souvent, c'est précisément dans le maintien du sens littéral qu'on a vu la spécificité de l'allégorie chrétienne : l'allégorie païenne, en effet, en réclame l'abolition. Ainsi Auerbach écrit :

> Dans le cas de l'allégorie ou du symbolisme, au moins l'un des deux éléments qui se combinent est un pur signe; alors que, dans la relation typologique, les faits signifiant et signifié sont tous deux des événements historiques réels et concrets. Dans une allégorie de l'amour ou dans un symbole religieux, au moins l'un des deux termes n'appartient pas à l'histoire humaine; c'est une abstraction ou un signe. En revanche, dans le sacrifice d'Isaac considéré comme la figure du sacrifice du Christ, ni l'événement préfigurant ni l'événement préfiguré ne perdent par la force de leur sens et de la relation figurative, leur réalité littérale et historique. Ce point est essentiel et il a été souligné avec beaucoup d'insistance, au moins dans la tradition occidentale [1].

Ou de Lubac :

> Deux sens qui [comme dans l'allégorie chrétienne] s'additionnent, ou deux sens dont le premier, très réel en lui-même quoique extérieur, doit seulement s'effacer devant l'autre ou se transformer en l'autre à partir d'un événement créateur ou transfigurateur, ne sont pas deux sens qui [comme dans l'allégorie grecque] s'excluent comme s'excluent l'apparence et la réalité, ou le « mensonge » et la vérité. Pas plus d'ailleurs que l'apparence ou le « mensonge » dont parle le mythologue grec ne correspond à la « lettre » ou à l'« histoire » de l'exégète chrétien, la vérité du premier ne correspond, même d'un *point de vue tout formel*, à la vérité du second (...). Bien loin donc de constituer l'analogue, même approximatif, des couples grecs

1. « Typological symbolism in medieval literature », in *Gesammelte Aufsätze zur romanischen Philologie*, Berne, 1967, p. 111. Cf. aussi son étude « Fugura », *ibid.*, p. 55-92.

auxquels on peut être tenté de les assimiler, les couples chrétiens en constituent *l'antithèse* (*op. cit.*, t. II, p. 517; c'est moi qui souligne).

L'allégorie païenne relève, c'est vrai, du symbolisme lexical. Mais cela ne prouve nullement l'originalité de l'allégorie chrétienne : elle n'est pas la seule à relever du symbolisme propositionnel, lequel est parfaitement familier au monde antique et ce non seulement dans la pratique, ce qui va de soi, mais aussi en théorie (ainsi de la théorie du signe chez Aristote et les Stoïciens, ou de certaines figures de pensée, comme l'exemple, chez les rhétoriciens). La différence, si elle existe, doit être cherchée à un niveau plus spécifique.

*Typologie*

Revenons — pour cerner la question — rapidement sur la subdivision du sens spirituel en trois espèces.

Le sens moral est celui qui pose le moins de problèmes (quant à son identification). Il ressemble, à s'y méprendre, à la forme de pensée qu'Aristote décrit sous le nom d'*exemple*[1] — et ce jusqu'en ses exemples mêmes : telle action du passé (de l'Histoire Sainte) doit être mise en parallèle avec des actions présentes, et servir de guide aux contemporains dans leur travail d'interprétation. Aristote distingue deux espèces : exemples historiques et exemples non historiques (atemporels), qui peuvent être à leur tour paraboles ou fables. Voici un exemple historique : la guerre que les Thébains ont faite aux Phocidiens a été un mal; il s'ensuit que les Athéniens ne devraient pas faire la guerre aux Thébains s'ils veulent éviter le mal; ces deux cas particuliers sont reliés

---

1. Mais qui n'a pas le sens que je donnais à ce mot dans la section précédente, p. 70, puisque, suivant Lessing, je qualifiais par là le passage du particulier au général, alors qu'Aristote vise dans l'*exemple* l'évocation d'un particulier par un autre à laquelle je réservais pour ma part l'appellation d'*allégorie*... Il est impossible d'échapper aux acrobaties terminologiques dans ce domaine, tant les mêmes termes ont été employés en des sens différents.

par une propriété générale : Thébains et Phocidiens, tout comme Thébains et Athéniens, sont des voisins (*Analytiques premiers*, 69 a). Et voici un exemple non historique : « Il ne faut pas que les magistrats soient tirés au sort : c'est, en effet, comme si on choisissait les athlètes par le sort, non pas ceux qui ont les aptitudes physiques pour concourir » (*Rhétorique* II, 1393 b). Il n'y a ici aucune différence formelle entre Antiquité et christianisme : du point de vue de la théorie allégorique, la guerre des Thébains de l'exemple d'Aristote vaut celle des enfants d'Israël.

Mais reste à caractériser la *typologie*; car, c'est en fait à elle qu'on pense habituellement en parlant d'allégorie chrétienne. Voici comment la typologie se trouve décrite chez saint Augustin, dont l'œuvre contient en germe la doctrine des quatre sens. Le principe en est ainsi énoncé dans la *Catéchèse des débutants*, III, 6 :

> Tout ce que nous lisons dans les Saintes Écritures n'a été écrit avant la venue du Seigneur que pour mettre en lumière cette venue et préfigurer l'Église à venir, c'est-à-dire le peuple de Dieu à travers toutes les nations.

Le même texte présente quelques exemples d'exégèse typologique.

> En ce peuple [celui d'Abraham] fut certainement figurée, avec une netteté bien plus grande, l'Église de l'avenir (XIX, 33). [Ou encore :] Tout cela [tout ce qui arrive à ce peuple] n'en était pas moins la figure de mystères spirituels relatifs au Christ et à son Église dont ces justes étaient membres, bien qu'ils aient vécu avant la naissance selon la chair du Christ, notre Seigneur *(ibid.)*. [Et aussi :] Par le symbole du déluge auquel les justes ont échappé grâce au bois de l'arche, était annoncée à l'avance l'Église à venir, que son roi le Christ Dieu par le mystère de sa croix a maintenue au-dessus des flots submergeants de ce monde (XIX, 32).

Le peuple juif préfigure l'Église, tout comme le déluge annonce son avènement : ce sont là des interprétations typologiques caractérisées. Notons que, pas plus ici qu'ailleurs, Augustin n'invente : la typologie est déjà pratiquée par saint Paul dont tous ces exemples sont repris.

En quoi consiste exactement la *typologie?* On pourrait énumérer ainsi ses traits selon les historiens de la théologie, en allant du plus général au plus spécifique :

1. Elle relève du symbolisme *propositionnel.*

2. Elle participe de l'*intersection* de propriétés, et non de l'exclusion ou de l'inclusion ; en ce sens, elle relève de l'exemple aristotélicien (de ce que j'appelais l'allégorie).

3. Les deux faits qui la constituent appartiennent au passé, ce sont deux faits *historiques.* Cela ne suffit pas encore cependant pour caractériser la typologie ; en effet, on cite dans les histoires de l'exégèse une phrase de Plutarque (*De Fortuna Alexandri*, 10), selon laquelle le vers d'Homère « à la fois bon roi et excellent guerrier » ne loue pas seulement Agamemnon, mais prévoit aussi la grandeur d'Alexandre [1] ; or, cela est un *exemple historique*, semblable à ceux d'Aristote, mais non une typologie, car les événements se répètent sans que l'un soit l'accomplissement de l'autre.

4. Seul un rapport particulier entre les deux faits permet de parler de typologie, au sein des exemples historiques ; et ce rapport ne figure pas dans les catalogues rhétoriques : c'est celui de l'*accomplissement*. Il faut qu'il y ait une gradation entre les deux faits en faveur du second : le premier annonce le second, le second accomplit le premier. Comme on l'a déjà vu, les mettre sur le même plan, dans l'optique chrétienne, serait une hérésie.

5. La restriction suivante serait de pur contenu : on conviendra d'appeler typologie *chrétienne* celle qui se réalise dans le cadre de cette idéologie particulière. Cette restriction s'impose du fait qu'il existe une typologie non chrétienne, comme l'a bien montré Goppelt.

---

1. Cité par L. Goppelt, *Typos. Die typologische Deutung des Alten Testaments in Neuen*, Gütersloh, 1939, p. 20. Ce livre contient un exposé lumineux des problèmes de la typologie.

6. Enfin, au sein de la typologie chrétienne, on isolera la typologie *testamentaire*, selon laquelle les événements de l'Ancien Testament annoncent ceux rapportés par le Nouveau Testament. C'est à cela que se réfère le « deuxième » sens (dans la théorie du sens quadruple), qu'on a désigné plus haut comme « typologie ». Cette nouvelle restriction est nécessaire du fait que le quatrième sens, anagogique, partage certaines propriétés de la typologie, sans être une typologie testamentaire. Le sens anagogique concerne l'eschatologie : à partir d'une série où se confondent Ancien et Nouveau Testament, on en déduit une autre, à venir (la fin du monde). La différence est double; il s'agit d'une prophétie, non d'une interprétation du passé; et aucun texte ne joue ici le rôle qu'a le Nouveau Testament par rapport à l'Ancien, dans la typologie testamentaire.

Si l'on donnait de « typologie » une définition qui ne la lie pas à la seule doctrine chrétienne, on pourrait observer ailleurs le même « exemple historique d'accomplissement ». Sans poursuivre cette voie, je suggérerai qu'il y a beaucoup de « typologie » dans cette grande stratégie interprétative de notre temps qu'est la psychanalyse. Les deux événements s'y situent non plus dans l'histoire de l'humanité mais dans celle de l'individu; il reste que le fait récent (par exemple, les symptômes névrotiques) est perçu comme l'« accomplissement » d'un acte ancien (le traumatisme infantile), lequel à son tour « annonce » l'autre.

DES FONCTIONS PROPRES AU SYMBOLIQUE

L'expression symbolique étant découverte, puis délimitée ensuite reliée à un sens second, et cette dernière opération appuyée par des preuves, il reste à se demander : *pourquoi avait-on besoin d'une expression autre que l'expression directe* (par signes)? Quelles fonctions l'expression symbolique est-elle capable d'assumer, en plus de celles qu'assume l'expression non symbolique?

On posera la question en demandant : quelles *peuvent* être, en tout état de cause, les fonctions de l'expression symbolique? On en distinguera d'abord deux, qu'on appellera, un peu par facilité, « interne » et « externe ». Premier cas : la raison du symbolique réside dans le rapport même entre symbolisant et symbolisé; l'expression symbolique est présente parce qu'elle ne *pouvait pas ne pas* l'être. Deuxième cas : la raison du symbolique réside dans le rapport entre le symbole et ses utilisateurs, producteurs ou consommateurs; *pouvant* choisir entre s'en servir ou non, ils l'ont *préféré*, à cause des avantages supplémentaires qu'il offrait : la raison du symbole réside alors dans ses effets.

## Fonctions internes

La première analyse est peu fréquente dans l'Antiquité; pourtant, on en trouve des formulations isolées. On use du symbole, dira-t-on alors, parce qu'on parle de choses ineffables à partir des signes, telle la divinité. Par exemple Strabon, *Geographica*, X, 39 : « Voiler de mystère les choses sacrées, c'est servir le prestige de la divinité puisque c'est imiter sa nature qui échappe à nos sens. » Origène : « Il existe des matières dont la signification ne peut être exposée comme il convient par absolument aucune parole du langage humain » (IV,3, 5). Ou Clément, *Stromates*, V, 4, 21, 4 : Tous ceux qui ont traité de la divinité, les barbares comme les Grecs, ont caché les principes des choses, et transmis la vérité au moyen d'énigmes, de symboles, puis d'allégories, de métaphores et d'autres procédés analogues; tels les oracles des Grecs, et Apollon Pythien est bien appelé " oblique " ». On rencontre des formules semblables chez Maxime de Tyr, chez l'empereur Julien ou beaucoup plus tard chez Dante (cf. Pépin, *Mythe et Allégorie*, p. 268-271). Saint Augustin, dont on pourrait trouver des phrases qui accordent à l'expression symbolique toutes les sortes de fonctions mais qui a néanmoins ses préférences, évoque à travers une allégorie la différence entre les deux sortes d'expression, et donc la nécessité de ces récits au contenu symbolique qui remplissent la Bible (la comparaison sera souvent reprise et explicitée par la suite, notamment par Hugues de Saint-Victor dans son *Didascalion*) :

> Comme dans une cithare ou dans les instruments de même sorte, tout ce qu'on touche ne rend pas de son, mais seulement les cordes, et néanmoins les autres parties ont été fabriquées et agencées en vue d'attacher et de tendre ces cordes dont le musicien tirera en les frappant une douce harmonie — ainsi, dans ces récits prophétiques, tout ce que l'esprit du prophète a choisi parmi les actions humaines offre quelque rapport avec l'avenir ou se trouve introduit dans le texte en vue de relier et de rendre sonores, en quelque sorte, les parties qui renferment l'annonce des événements futurs (*C. Faust.* 22, 94).

On voit que, même ici, il y a une contiguïté immédiate entre narration allégorique et enseignement direct, entre recours aux symboles et aux signes. Saint Augustin a du mal à réserver aux symboles un rôle irréductible, inaccessible aux signes — comme l'exigera l'orthodoxie moderne.

## Fonctions externes

L'attitude courante dans l'Antiquité consistait donc à attribuer à l'expression symbolique ce qu'on a appelé une fonction externe, à justifier sa présence par les seuls *effets* qu'elle produit sur les utilisateurs. Cette fonction globale s'est trouvée ensuite nuancée et subdivisée, selon les différentes écoles et tendances exégétiques.

La variante la plus proche de la fonction interne est celle que présente Maïmonide dans le *Guide des égarés*. La nature de la révélation contenue dans les livres saints est telle, qu'on ne peut la dire aux hommes directement : elle les aveuglerait et ils ne la comprendraient pas.

> Le but divin... a fait que les vérités qui ont particulièrement pour objet de faire comprendre Dieu fussent dérobées au commun des hommes. (...) A cause de la gravité et de l'importance de cette chose, et parce que notre faculté est insuffisante pour comprendre le plus grave des sujets dans toute sa réalité, on a choisi pour nous parler des sujets profonds dont la sagesse divine jugeait nécessaire de nous entretenir, les allégories, les énigmes et des paroles extrêmement obscures [1].

L'expression allégorique est déterminée par ceci que les hommes ne peuvent pas comprendre autrement des révélations de cette gravité : la fonction interne est ici comme enchâssée dans une fonction externe.

Saint Augustin énumère plusieurs variétés de la fonction externe : les auteurs des Livres saints « se sont exprimés avec une utile et salutaire obscurité en vue d'exercer et en quelque sorte de limer l'esprit des lecteurs, de rompre l'ennui et d'aiguiser le zèle de ceux qui désirent les étudier, et de cacher ces passages à l'esprit des impies... » (*DC*, IV, VIII, 22). On peut distinguer ici trois raisons. La première (qui n'est pas très fréquente chez Augustin) est que l'expression symbolique protège la parole divine du contact des impies; l'obscurité joue ici un rôle *sélectif*, permettant d'écarter et de neutraliser les non-initiés. Les deux autres raisons, plus fréquemment invoquées, vont, par certains côtés, en sens opposés.

L'une veut que l'expression symbolique soit plus difficile que la non symbolique, et qu'elle ajoute ainsi un *travail* éducatif à son message cognitif. C'est ce qu'écrivait déjà Clément d'Alexandrie :

> Pour beaucoup de raisons, la Sainte Écriture cache donc le vrai sens de ce qu'elle dit, tout d'abord afin que nous soyons zélés et habiles à chercher, que nous nous tenions toujours en éveil pour trouver les paroles du Seigneur (*Stromates*, VI, 15, 126, 1).

---

1. *Le Guide des égarés*, Paris, 1960, Introduction, p. 10-12.

Saint Augustin abondera dans ce sens :

> L'obscurité même des paroles divines et salutaires était destinée à s'imprégner d'une telle éloquence. Car notre intelligence devait en retirer du profit non seulement par ses trouvailles, mais par ses exercices (*DC*, IV, VI, 9).

Et :

> En vue de nous exercer, la parole divine nous a présenté, non pas des idées immédiatement accessibles, mais des mystères à scruter dans le secret et à arracher au secret; elle nous oblige ainsi à une recherche plus zélée (*De Trin.*, XV, 17, 27).

Cette difficulté, loin d'être cause de déplaisir, attire les esprits forts et les sauve de l'ennui de l'expression directe; l'orgueil est à la fois dompté et flatté. « Tout cela, je n'en doute pas, a été divinement disposé à l'avance pour dompter, par le travail, l'orgueil et sauver du dégoût l'intelligence de ceux pour qui les recherches faciles sont la plupart du temps sans intérêt » (*DC*, II, VI, 7). Moyennant quoi, nous sommes conduits imperceptiblement à une raison apparemment opposée à la précédente : l'expression symbolique est préférable parce qu'elle est plus *agréable*. C'est que la difficulté est pour saint Augustin source de plaisir :

> Personne ne conteste qu'on apprend plus volontiers toutes choses à l'aide de comparaisons et on découvre avec plus de plaisir les choses quand on les cherche avec une certaine difficulté. Les hommes, en effet, qui ne trouvent pas d'emblée ce qu'ils cherchent, sont travaillés par la faim; ceux par contre qui l'ont sous la main, languissent souvent de dégoût (*DC*, II, VI, 8).

Quelle est la raison exacte de cette solidarité entre obstacles et plaisir, qui rappelle les satisfactions d'un spectateur de strip-tease [1]? Saint Augustin déclare ne pas le savoir; mais son plaisir est évident, dans la manipulation d'énoncés dont la nature allé-

---

1. Cf. *Théories du symbole*, Paris, 1977, ch. 2.

gorique n'est, elle, pas toujours évidente pour nous. Qu'on en juge par cet exemple un peu long :

> Comment se fait-il, je le demande, que si on dit : « Il y a des hommes saints et parfaits. Grâce à leur vie et leurs mœurs, l'Église du Christ arrache à toutes les superstitions ceux qui viennent à elle et se les incorpore d'une certaine manière, s'ils imitent les bons. Ces justes déposant, en fidèles et vrais serviteurs de Dieu, le fardeau du siècle, sont venus au bain sacré du Baptême et s'élevant de là, sous l'action fécondante du Saint-Esprit, produisent le fruit du double amour, c'est-à-dire de l'amour de Dieu et de l'amour du prochain. » Oui, comment se fait-il, si on dit cela, qu'on *charme* moins l'auditeur que si on lui exposait, tout en exprimant les mêmes idées, ce passage du Cantique des Cantiques où il a été dit à l'Église, en la louant comme une belle femme : « Tes dents sont semblables à un troupeau de brebis tondues qui remontent du lavoir; elles portent toutes deux jumeaux et aucune d'elles n'est stérile » (*Cant* IV, 2)? L'homme apprend-il là autre chose que ce qu'il entendait tout à l'heure, exprimé en termes très simples, sans le soutien de cette comparaison? Et pourtant, je ne sais comment, je contemple les saints avec plus de charme, quand je les vois arracher, comme avec les dents de l'Église, les hommes aux erreurs, et, après les avoir mâchés et triturés, afin d'amollir leur dureté, les transporter dans leur corps. Il m'est aussi fort agréable de reconnaître les brebis tondues. Elles ont déposé, comme des toisons, les fardeaux du siècle et, remontant du lavoir, elles ont toutes mis au jour deux jumeaux, c'est-à-dire les deux préceptes de l'amour. Et je n'en vois aucune d'inféconde, en ce saint fruit (*DC*, II, VI, 7).

Quoi qu'il en soit de l'articulation de la difficulté avec le plaisir, c'est ce type de raisons qui justifie, aux yeux de saint Augustin comme de toute l'exégèse patristique, l'expression symbolique, et donc aussi le travail d'interprétation. En parlant par symboles, on ne dit pas autre chose qu'en leur absence; l'avantage se situe dans l'action qu'on exerce sur l'esprit du récepteur.

## Ambiguïté dans le jugement

L'activité symbolique et interprétative étant ce qu'elle est, quelle appréciation portera-t-on sur elle? On vient de voir que, pour des raisons qu'il lui est difficile de nommer, Augustin est attaché au travail même d'interprétation; mais une certaine ambiguïté se laisse observer dans les jugements qu'il porte sur les résultats respectifs de l'interprétation (sens allégorique) et de la compréhension (sens littéral). Ambiguïté qu'il essaie de maîtriser dans une mise en garde symétrique contre les excès dans chacune des deux directions : « De même que suivre la lettre et prendre les signes pour les réalités qu'ils signifient est le fait d'une faiblesse servile, de même interpréter inutilement des signes est le fait d'une erreur fâcheusement vagabonde » (*DC*, III, IX, 13).

S'il y a ambiguïté (mais non contradiction), c'est que les principes qui dictent les jugements concernant l'un et l'autre sens ont des sources différentes.

D'une part, pour des raisons inhérentes à la conception traditionnelle du langage telle que l'incarne notamment, la rhétorique depuis Cicéron, on préfère les idées (les choses) aux mots, et donc, parmi les mots, on préfère les plus transparents, ceux qui donnent le plus directement accès à la pensée. Or, les métaphores et les allégories attirent le regard vers elles-mêmes; elles sont donc condamnables. « Le désir scrupuleux d'être clair porte parfois à faire peu de cas des mots plus élégants, à ne pas se soucier des phrases harmonieuses et à se préoccuper plutôt de bien mettre en lumière et de bien faire connaître la vérité qu'on vise à montrer » (*DC*, IV, X, 24). L'élégance des expressions indirectes pèse peu, face à la transparence des signes directs; c'est pourquoi aussi, instruire est supérieur à toucher, et plus encore à plaire; donc le style simple (dépourvu de métaphores et d'autres expressions indirectes) est préférable aux autres (cf. *DC*, IV, XII, 28 et XXV, 55).

Préférer le signifié au signifiant conduit, d'autre part, à placer le sens spirituel au-dessus du sens littéral. Aux raisons générales qui dictent cette préférence s'ajoutent des considérations purement chrétiennes car le sens spirituel, son nom le dit déjà, a partie liée avec l'esprit, alors que le sens littéral se trouve repoussé du côté de la chair, du matériel refusé. C'est ce que dit très explicitement saint Augustin :

> Entendre un terme figuré comme s'il était dit au sens propre, c'est penser charnellement. Or, il n'y a pas pour l'âme de mort plus justement nommée que de soumettre à la chair, en suivant la lettre, cela même qui chez elle l'emporte sur les bêtes, je veux dire l'intelligence. L'homme, en effet, qui suit la lettre, tient pour propres les expressions figurées et ne rapporte pas le sens d'un terme propre à une autre signification (*DC*, III, V, 9).

On le voit : entre les deux jugements de valeur, il s'agit plus d'une disparité que d'une contradiction. L'expression littérale d'un sens spirituel est au sommet de la hiérarchie; ensuite vient le sens spirituel de l'expression allégorique, et à la fin seulement le sens littéral (et charnel) de cette même expression.


*Limiter le foisonnement des sens*


Un coup d'œil sur la tradition chrétienne de l'exégèse biblique permettra d'amplifier et de préciser la signification de cette ambiguïté; tous, en effet, ne partagent pas l'engouement de saint Augustin pour l'interprétation. Deux tendances s'affrontent — encore une fois, sans se contredire directement.

La première est propre à toute stratégie interprétative, et elle consiste à freiner le foisonnement des sens, à chercher un sens préférable aux autres. La nature même de la production symbolique et de sa contrepartie, l'interprétation, expliquent cette première tendance. Car symboliser n'est rien d'autre qu'associer des sens; or, il suffit, pour associer deux entités, de leur prédiquer une propriété commune (et on aura une métaphore) ou de les prédiquer à un même sujet (comme dans la métonymie); mais, y a-t-il seulement deux entités pour lesquelles l'une ou l'autre opération ne soit pas praticable? Rien n'est plus facile que de symboliser et d'interpréter, et rien n'est plus arbitraire qu'une motivation. Une stratégie interprétative ne cherche donc jamais à ouvrir des voies que, sans elle, l'esprit ne saurait pratiquer, mais toujours et seulement à imposer des restrictions, à valoriser certaines associations sémantiques en en excluant d'autres. *La stratégie interprétative procède par soustraction, non par addition*, ou, pour parler comme Léonard, *per via di levare* et non *per via di porre* : que ce soit par des indices obligatoires qui déclenchent, seuls, l'interprétation ou par des contraintes pesant soit sur les segments interprétés, soit sur la motivation, soit sur la nature du sens nouveau, etc.

Pour cette raison on trouvera, au sein de la tradition chrétienne comme de n'importe quel type d'exégèse, des défenseurs du sens unique et littéral, des pourfendeurs de la polyvalence symbolique. On en a un témoignage ancien chez Tertullien qui s'oppose à l'interprétation allégorique au nom du principe d'identité : « Quelle est, je le demande, la raison de cette transposition de sens? (...) Car, tu ne peux assigner [à une chose] ensemble deux natures, corporelle et incorporelle » (*Ad nationes*, II, 12). Ou encore chez Lactance :

> Tout ce qui a eu lieu effectivement, tout ce qui est établi par un clair témoignage matériel, ne peut être converti en allégorie; ce qui a été fait ne peut pas ne pas avoir été fait, ni la chose faite, renier sa nature pour prendre une nature qui lui est étrangère. (...) Ce qui a eu lieu ne peut être, comme je l'ai dit, autre chose que ce qui a eu lieu, ni ce qui a été fixé une fois pour toutes dans sa nature propre, dans les caractères qui n'appartiennent qu'à lui, s'évader dans une essence étrangère (*Ad. nat.*, V, 38).

On retrouvera cet attachement au littéralisme tout au long de l'histoire de l'exégèse chrétienne, bien qu'il ne devienne

dominant qu'avec la Réforme. « Après 1517 et sa rupture défi-
nitive avec l'Église romaine, Luther cessa de se servir de l'allégorie et mit l'accent sur la nécessité " d'un seul sens simple et
solide " »... (Grant, *op. cit.*, p. 112). Un autre exégète du
XVIe siècle, John Colet, allait jusqu'à écrire :

> Dans les écrits du Nouveau Testament, excepté là où il a
> plu au Seigneur Jésus et à ses apôtres de parler en para-
> boles — comme le Christ le fait souvent dans les Évangiles
> et saint Jean de façon systématique dans l'Apocalypse —,
> tout le reste du texte, soit que le Seigneur y enseigne ouver-
> tement ses disciples, soit que les apôtres instruisent les
> Églises, a comme signification le sens qui apparaît à pre-
> mière vue, et jamais on ne dit une chose pour en signifier
> une autre, et la chose signifiée est celle-là même qui a été
> dite, et le sens est absolument littéral... (*ibid.*, p. 122).

En fait cette affirmation ne tranche pas entièrement avec
l'attitude traditionnelle car elle se restreint au Nouveau Testament, lequel n'a jamais été le champ favori de l'exégèse allégorique.

### Le sens inépuisable de l'Écriture

Il faut remarquer tout de suite que, au sein même de la tradition chrétienne, il existe de nombreuses exceptions à cette règle.
Un saint Jean de la Croix, par exemple, affirmera le caractère
principiellement *inépuisable* du texte biblique : « Les saints
docteurs, malgré tous leurs commentaires et tous ceux que l'on
y pourrait ajouter, n'ont jamais interprété à fond l'Écriture :
des paroles humaines ne peuvent enfermer ce que l'Esprit de
Dieu révèle » (*Cant. spir.*, préface). L'argument est tiré ici de la
nature ineffable de la révélation divine; il le sera, dans un esprit
tout différent, de combinatoire arithmétique, dans l'œuvre d'un
saint Bonaventure. L'Écriture a, naturellement, ses quatre sens,

mais chacun de ces quatre sens a pareillement, comme les Vivants d'Ézéchiel, ses quatre faces, entre lesquelles se répartit le contenu varié de ses objets, si bien que l'on arrive à compter en tout seize espèces de sens. (...) D'autre part, si l'on divise en quatre temps toute l'histoire du salut (Nature, Loi, Prophètes, Évangile), on observe en chacun de ces temps trois mystères, ce qui fait douze mystères essentiels, correspondant aux douze arbres du paradis. En chacun de ces douze foyers lumineux d'intelligence tous les astres se reflètent, ce qui permet encore de multiplier douze par douze et d'obtenir ainsi le nombre de 144, qui est le nombre de la Jérusalem céleste... (Lubac, *op. cit.*, t. IV, p. 268).

## Supériorité du spirituel

Mais ce ne sont pas de telles exceptions mystiques ou scolastiques au principe du littéralisme qui importent réellement. De manière beaucoup plus fondamentale, ce principe est combattu, et finalement dominé, par un autre, selon lequel *l'esprit est supérieur à la chair*. Par transposition, il faut affirmer l'existence d'un sens spirituel pour pouvoir poser sa supériorité sur le sens charnel ou littéral. Il n'y a pas de pensée plus répétée dans l'herméneutique chrétienne, que la phrase de saint Paul : « La lettre tue, c'est l'esprit qui vivifie. » On peut dire en ce sens que le christianisme a un besoin constitutif de la méthode d'interprétation allégorique : s'il n'y avait pas d'allégorie, il n'y aurait pas Dieu (puisqu'il serait impossible d'affirmer l'existence d'une réalité spirituelle inaccessible aux sens et donc toujours œuvre d'interprétation).

Rien ne révèle mieux la supériorité accordée au sens spirituel sur le sens littéral que les comparaisons qui les caractérisent. « Jésus change l'eau de la lettre dans le vin de l'esprit » (Lubac, *op. cit.*, t. I, p. 344). Richard de Saint-Victor compare « l'histoire au bois et l'allégorie ou sens mystique à l'or » (*ibid.*, t. II, p. 512). Selon saint Augustin, l'Écriture est comme « une charrue dont on peut dire que tout entière elle laboure le sol, bien qu'à proprement parler seul le fer y pénètre » (*ibid.*, t. IV, p. 97); et ce « fer » correspond au sens spirituel.

Le plus souvent, ces comparaisons ne se contentent pas d'affirmer la supériorité de l'esprit sur la lettre, mais cherchent aussi à la fonder dans l'opposition entre *intérieur* et *extérieur*. L'allégorie est le lait qu'il faut traire de la lettre (*ibid.*, t. IV, p. 183). L'exégèse « découvre l'esprit comme le soleil sous la nuée, comme la moelle sous l'écorce, comme le grain sous la paille » (*ibid.*, t. I, p. 308). Ou encore le miel dans la cire, la noix dans la coquille (*ibid.*, t. II, p. 603). « Pour saint Cyrille d'Alexandrie, l'Écriture était un jardin plein de fleurs délicates : à ces fleurs du sens spirituel, l'enveloppe protectrice des feuilles était nécessaire » (*ibid.*, t. IV, p. 97). On n'est pas loin de la métaphore de l'habit et du corps qui domine les théories de la métaphore elle-même, tout au long de l'histoire occidentale [1]. Le sens littéral est une enveloppe : le sens spirituel est la chose même.

Pour résumer : malgré une tendance — naturelle à toute stratégie — à la restriction, l'exégèse patristique doit postuler l'existence d'un sens autre que le littéral. Mais ce dépassement du littéral est aussitôt rattrapé et canalisé dans la doctrine des quatre sens, qui au fond se ramène, comme disait déjà saint Thomas, à une affirmation de la supériorité du sens spirituel. C'est ce qu'exprime, sur le mode litotique, une formule d'H. de Lubac, évoquant « la polyvalence orientée du symbole » (t. IV, p. 180) dans l'herméneutique chrétienne.

---

1. Cf. *Théories du symbole*, Paris, 1977, chap. II.

# Une interprétation opérationnelle : l'exégèse philologique

Mon second exemple de stratégie interprétative est à la fois proche et éloigné du précédent. Éloigné, parce qu'il s'agit d'une science respectable et moderne, la philologie, et non d'un point de vue exégétique qui paraît aujourd'hui entièrement redevable à une idéologie limitée dans le temps. Mais proche aussi, ne serait-ce que matériellement, puisqu'on va pouvoir chercher à saisir cette stratégie nouvelle au moment où elle vient influencer, et de manière décisive, l'interprétation encore de la Bible. On observera en effet les principes de la nouvelle science philologique chez un auteur révolutionnaire en matière d'exégèse biblique : Spinoza, dans le *Traité théologico-politique* [1].

## L'ALTERNATIVE FOI OU RAISON

La nouvelle méthode d'interprétation prônée par Spinoza se fonde sur une séparation entre foi et raison, qu'il qualifie lui-même de « but principal auquel tend tout l'ouvrage » (XIV, p. 240). Plus explicitement, il veut prouver que

l'Écriture laisse la raison entièrement libre et n'a rien de commun avec la philosophie, mais l'une et l'autre se main-

---

1. *Traité théologico-politique*, Paris, Garnier-Flammarion, 1965, trad. Ch. Apputin. La première édition date de 1670. J'indique en chiffres romains le chapitre, en chiffres arabes la page de l'édition française.

tiennent par une force propre à chacune. (...) Ces deux connaissances n'ont rien de commun, mais peuvent l'une et l'autre occuper leur domaine propre sans se combattre le moins du monde et sans qu'aucune des deux doive être la servante de l'autre (Préface, p. 25, 26).

Cette *séparation* devenant la base de la nouvelle méthode d'exégèse, je me dois de la présenter brièvement.

### Deux types de discours

L'argumentation de Spinoza se développe à peu près comme suit. On peut enseigner une idée de deux manières : en s'adressant à la seule raison ou en faisant appel à l'expérience. Mais la première manière n'est pratiquable qu'avec des personnes hautement cultivées et à l'esprit clair. Celles-ci sont rares ; donc, si on doit s'adresser à la multitude, il est préférable d'avoir recours à l'expérience (V, p. 109-110). Or, l'Écriture s'adresse justement à tout le monde et « tout son contenu a été adapté à la compréhension et aux opinions préconçues du vulgaire » (XV, p. 249). Mais en quoi consiste ce recours à l'« expérience »? C'est que l'Écriture expose la doctrine sous forme de récit, et non de définitions et de déductions. « Ces enseignements, l'Écriture les établit par l'expérience seule, je veux dire par les histoires qu'elle raconte » (V, p. 110).

Il existe donc deux espèces de discours, qui diffèrent à la fois par leur structure (l'un est déductif, l'autre narratif) et par leur fonction : l'un sert à faire connaître la vérité, l'autre à agir (puisque ce ne peut être la fonction première de ces histoires que de transmettre la vérité : elles le font de façon indirecte et imprécise). L'Écriture, quant à elle, n'est faite que de ce deuxième discours; il en découle que son contenu notionnel est faible mais sa force de persuasion, grande. « De tout cela il suit que la doctrine de l'Écriture n'est pas une philosophie, ne contient pas de hautes spéculations, mais seulement des vérités très simples et qui sont aisément percevables à l'esprit le plus paresseux »

(XIII, p. 230). Un pas de plus consistera à dire que l'un des discours se tient dans les limites d'une fonction représentative, alors que l'autre (celui de la Bible) s'épuise dans l'action qu'il exerce :

> Le vulgaire donc est tenu de connaître seulement les histoires qui peuvent le plus émouvoir les âmes et les disposer à l'obéissance et à la dévotion (V, p. 111). L'objet de l'Écriture n'a pas été d'enseigner les sciences; car nous pouvons en conclure aisément qu'elle exige des hommes seulement de l'obéissance et condamne seulement l'insoumission, non l'ignorance (XIII, p. 230).

L'un des discours a trait au couple *ignorance-connaissance*, l'autre à la dyade *soumission-insoumission*.

On aura peut-être remarqué le glissement grâce auquel Spinoza parvient à cette conclusion. Pour établir sa distinction du début, il avait admis que les deux discours pouvaient servir à transmettre la vérité, mais que l'un convenait aux seuls esprits cultivés, alors que l'autre était bon pour les incultes. Or maintenant, un seul discours est admis pour transmettre la vérité, on réserve l'autre à l'action sur le destinataire en prétextant qu'on ne saurait inculquer la science aux incultes. S'agit-il de deux modes de formulation de la vérité, ou bien de l'opposition entre vérité et foi? Peut-être est-ce la prudence de Spinoza qui l'empêche d'assumer d'un bout à l'autre la seconde interprétation de sa dichotomie. Si on l'accepte, cependant, on s'aperçoit que deux séries homogènes s'en trouvent élaborées, dont l'articulation est loin d'être absente de notre discours d'aujourd'hui : d'un côté, la vérité, la connaissance, la raison, la philosophie, les sciences; de l'autre, la foi, l'action sur le destinataire et, comme on dit de nos jours, l'idéologie. Ces deux discours reçoivent en quelque sorte des définitions formelles : est *scientifique* le discours où la fonction représentative domine la fonction impressive (si l'on peut appeler ainsi celle qui a trait au destinataire); inversement, est *idéologique* celui où c'est la fonction impressive qui est dominante.

## Les dangers de la confusion

Ce qui compte pour Spinoza, c'est la séparation des deux domaines, et leur apparente symétrie.

> Nous tenons pour solidement établi que ni la Théologie ne doit être la servante de la Raison, ni la Raison celle de la Théologie, mais que l'une et l'autre ont leur royaume propre : la Raison, comme nous l'avons dit, celui de la vérité et de la sagesse, la Théologie, celui de la Piété et de l'obéissance (XV, p. 254).

On passe directement de là, à l'interprétation des Écritures, et on en déduit un premier principe qui n'est qu'une application de la dichotomie de base : il ne faut pas plus soumettre l'Écriture à la raison, qu'inversement, soumettre la raison à l'Écriture.

Un personnage historique illustre chacun de ces dangers symétriques.

Celui qui pliait *la Raison à l'Écriture* se nommait Alfakar (ou Alpakhar) et ce fut l'un des adversaires de Maïmonide. « Il soutint que la Raison devait s'incliner devant l'Écriture et lui être entièrement soumise » (XV, p. 250). Plus exactement, si un passage de la Bible en contredit un autre plus clair, cela suffit pour décider que le premier est métaphorique, et qu'il doit donc être soumis à une interprétation, même si la Raison ne relève aucun indice de cette métaphoricité. Ainsi des passages où l'on parle de Dieu au pluriel : « Pour cette raison, c'est-à-dire, non parce que cette pluralité contredit à la Raison, mais parce que l'Écriture affirme directement l'unicité, il y a lieu d'entendre ces passages comme des métaphores » *(ibid.)*. Ce que Spinoza reproche à Alfakar n'est pas qu'il confronte entre eux des passages de la Bible mais que, une fois sa lecture terminée, il refuse de se servir de sa raison pour formuler des jugements; que même dans un domaine qui relève de la Raison et non plus de l'Écriture, on continue à maintenir la place dominante de celle-ci. « Il est vrai sans doute qu'on doit expliquer l'Écriture par l'Écriture aussi longtemps qu'on peine à découvrir le sens des textes et la pensée des Prophètes, mais une fois que nous avons enfin trouvé le vrai sens, il faut user nécessairement du jugement et de la Raison pour donner à cette pensée notre assentiment » (XV, p. 251).

Les deux domaines doivent être tenus rigoureusement séparés. On peut se demander si Spinoza lui-même y parvient parfaitement, lui qui écrit : « Ainsi en est-il d'un grand nombre d'affirmations conformes aux opinions des Prophètes et du vulgaire et dont la Raison seule et la Philosophie, non l'Écriture, fait connaître la fausseté; elles devraient cependant toutes être supposées vraies d'après l'opinion de cet auteur, puisqu'on n'a pas en cette matière à prendre avis de la Raison » (XV, p. 253). Spinoza lui-même ne prend-il un peu trop « avis de la Raison »? Mais c'est qu'il a changé de domaine : la question du *sens* d'un texte doit être strictement séparée de celle de sa *vérité* (on le verra encore); cette dernière seulement est affaire de la Raison, par conséquent on n'a pas le droit de s'en servir pour établir le sens. Alfakar établissait une fausseté, il en déduisait l'existence d'une métaphore et changeait le sens de l'énoncé examiné; c'est dans cette transition que réside son erreur.

Le représentant du danger opposé, c'est Maïmonide lui-même. « D'après lui... nous ne pouvons savoir quel est le vrai sens d'aucun passage qu'autant que nous savons qu'il ne contient rien, tel que nous l'interprétons, qui ne s'accorde avec la Raison ou qui lui contredise. S'il se trouve, pris dans son sens littéral, contredire à la Raison, tout clair paraisse-t-il, il faut l'interpréter autrement » (VII, p. 154). Maïmonide procède donc exactement comme le faisait l'exégèse patristique; la seule différence est qu'à la place de la « doctrine chrétienne », on trouve la « Raison »; l' « invraisemblance doctrinale » est, ici comme là, indice d'allégorie et donc enclencheur de l'interprétation. Le présupposé informulé de cette pratique, c'est que *les Écritures ne peuvent pas ne pas dire vrai*.

Les objections de Spinoza sont parallèles à celles qu'il adressait à Alfakar, les deux erreurs se réduisant en fait à une seule, la confusion de ce qui devrait être séparé; mais son argumentation est plus détaillée. En soumettant l'Écriture à la Raison, Maïmonide admet implicitement que l'objet de l'Écriture est la vérité et, par voie de conséquence, qu'elle s'adresse aux seuls esprits cultivés. « Si la manière de voir de Maïmonide était la vraie, le vulgaire qui ignore le plus souvent les démonstrations, ou est incapable de s'y appliquer, devrait ne rien pouvoir admettre au sujet de l'Écriture que sur l'autorité ou par le témoignage des hommes philosophant » (VII, p. 155). Or, chacun s'accordera pour dire que l'Écriture s'adresse au commun et que par conséquent elle échappe au contrôle de la Raison. « Ce qui est indémontrable, et c'est la majeure partie de l'Écriture, nous ne pourrons arriver à le connaître par la Raison » (VII, p. 156-157). N'est-il pas, alors, absurde, d'entraîner la Raison sur un terrain qui n'est pas le sien?

### Le sens, non la vérité

La distinction exégétique sur laquelle reposent ces séparations est celle du sens et de la vérité; et Spinoza la formule avec beaucoup de netteté.

Nous nous occupons ici du sens des textes et non de leur vérité. Il faut même avant tout prendre garde, quand nous cherchons le sens de l'Écriture, à ne pas avoir l'esprit préoccupé de raisonnements fondés sur les principes de la connaissance naturelle (pour ne rien dire des préjugés); afin de ne pas confondre le sens d'un discours avec la vérité des choses, il faudra s'attacher à trouver le sens en s'appuyant uniquement sur l'usage de la langue ou sur des raisonnements ayant leur seul fondement dans l'Écriture (VII, p. 140-141).

*L'objectif de l'interprétation est le seul sens des textes*, et elle doit l'atteindre sans l'aide d'une quelconque doctrine, vraie ou fausse.

Ce que Spinoza exige est une interprétation sans présupposés, une interprétation qui soit dirigée par le seul texte analysé, et non par des partis pris; ce qu'il exige est donc une *interprétation scientifique* et non idéologique. Sa « méthode n'exige d'autre Lumière que la Naturelle. La nature et la vertu de cette lumière consistent en ce qu'elle déduit et conclut par voie de légitime conséquence les choses obscures de celles qui sont connues ou de celles qui sont données comme connues; notre méthode n'exige rien d'autre » (VII, p. 153). L'herméneutique ancienne postulait l'existence de deux sortes de textes : ceux dont le sens coïncide nécessairement avec la vérité (à côté des textes sacrés, on peut citer Homère), et ceux qui ont un sens mais pas forcément vrai. Toute l'attention des théoriciens s'est portée sur la première classe; la seconde n'a suscité que des techniques pratiques, qui ne sont jamais devenues une doctrine. L'innovation de Spinoza est en apparence minime : il abolit la séparation entre ces deux classes et déclare qu'il n'existe pas de textes dont le sens soit nécessairement vrai. Ce déplacement de frontière a cependant des conséquences capitales : non seulement on traite la Bible comme n'importe quel texte, mais on prend conscience des techniques utilisées traditionnellement dans l'interprétation des textes non sacrés, et on les érige en programme, assumant leurs implications idéologiques. Cent cinquante ans plus tard, un théoricien du romantisme, A. W. Schlegel, constatera : « Il est permis d'appliquer à la Genèse les mêmes règles d'interprétation qu'on a adoptées pour tant d'autres monuments d'une Antiquité reculée [1]. »

Il restera à se demander si la séparation est toujours aussi facile que semble l'admettre Spinoza, entre la raison universelle réduite à une pure logique et les raisons particulières qui menacent d'entacher l'interprétation d'idéologie; entre la *raison comme méthode* et la *raison comme contenu* : s'il est toujours aussi aisé de garder l'une en évacuant l'autre.

---

1. « De l'étymologie en général », *Œuvres écrites en français*, t. II, Leipzig, 1846, p. 120.

Le point de départ de l'interprétation, telle que la conçoit Spinoza, est une inversion exacte du principe fondamental de l'exégèse patristique. Pour celle-ci, le résultat de l'interprétation était donné d'avance (c'était le texte de la doctrine chrétienne) et la seule liberté qu'on avait était dans le chemin qu'on allait parcourir entre ces deux points fixes, le sens donné et le sens nouveau. Spinoza, fort de sa séparation entre raison et foi et donc entre vérité (serait-elle religieuse) et sens (des livres saints), commence par dénoncer cette répartition :

> La plupart [des interprètes] posent en principe (pour l'entendre clairement et en deviner le vrai sens) que l'Écriture est partout vraie et divine, alors que ce devrait être la conclusion d'un examen sévère, ne laissant subsister en elle aucune obscurité; ce que son étude nous démontrerait bien mieux, sans le secours d'aucune fiction humaine, ils le posent d'abord comme règle d'interprétation (Préface, p. 24).

La critique de Spinoza, ici comme précédemment, est de structure et non de contenu : il s'agit de changer non la nature de la vérité mais sa place; loin de pouvoir servir comme principe conducteur de l'interprétation, le sens nouveau doit en être le résultat; on ne peut chercher un objet à l'aide de cet objet même. L'établissement du sens d'un texte doit s'accomplir indépendamment de toute référence à la vérité de ce texte.

> Quand bien même le sens littéral est en contradiction avec la lumière naturelle, s'il ne s'oppose pas nettement aux principes et aux données fondamentales tirés de l'Histoire critique de l'Écriture, il faut le maintenir; au contraire, si ces paroles se trouvaient, par leur interprétation littérale, contredire aux principes tirés de l'Écriture, encore bien qu'elles s'accordassent le mieux du monde avec la Raison,

132

il faudrait admettre une autre interprétation (je veux dire une interprétation métaphorique) (VII, p. 141).

### Nouvelles contraintes

Cette *liberté concernant le sens à trouver*, sera compensée par des *contraintes*, destinées à peser sur cette partie précisément du travail interprétatif que l'exégèse patristique laissait libre : c'est-à-dire sur le parcours entre les deux sens, sur les opérations qui permettent de passer de l'un à l'autre.

Pour faire court, je résumerai cette méthode en disant qu'elle ne diffère en rien de celle que l'on suit dans l'interprétation de la Nature mais s'accorde en tout avec elle. De même en effet que la Méthode dans l'interprétation de la nature consiste essentiellement à considérer d'abord la Nature en historien et, après avoir ainsi des données certaines, à en conclure les définitions des choses naturelles, de même, pour interpréter l'Écriture, il est nécessaire d'en acquérir une exacte connaissance historique, et une fois en possession de cette connaissance, c'est-à-dire de données et de principes certains, on peut en conclure par voie de légitime conséquence la pensée des auteurs de l'Écriture (VII, p. 138-139).

La science des textes s'assimilera, par sa méthode, à la science naturelle; l'une comme l'autre procéderont, en l'absence de toute idée préconçue, à l'application d'opérations rigoureuses de vérification et de déduction, aboutissant ainsi à la seule vérité qui intéresse l'interprète, celle du sens.

### Grammaticales

Plus précisément, l'enquête obéira à des contraintes de trois ordres.

« En premier lieu elle doit comprendre la nature et les propriétés de la langue dans laquelle furent écrits les livres de l'Écriture et que leurs auteurs avaient accoutumé de parler » (VII, p. 140). La première exigence est donc de type linguistique : pour comprendre un texte, il faut connaître la *langue* de l'époque. Aucune contradiction avec la « vérité », c'est-à-dire avec le dogme, ne nous autorisera à attribuer au mot un sens que la langue n'a pas attesté par ailleurs. « Si l'usage de la langue ne permettait pas de lui attribuer un autre sens, il n'y aurait aucun moyen d'interpréter la phrase autrement » (VII, p. 141). Ce qui implique que les mots ont, dans le principe, un seul sens, ou que, tout au moins, tous leurs sens appartiennent au lexique; c'est-à-dire qu'il n'y a pas de possibilité de produire des métaphores, d'utiliser les mots dans un sens qui n'est pas le leur.

### Structurelles

La deuxième exigence porte sur la *cohérence* du texte. Le principe dont part Spinoza est celui-là même qu'on a reconnu à la base de l'exégèse patristique : un texte ne peut pas se contredire, toutes ses parties affirment la même chose. Spinoza envisage pour sa part cette étude comme la constitution d'une série de classes thématiques (paradigmatiques) où sont rassemblés les segments apparentés. « Il faut grouper les énonciations contenues dans chaque livre et les réduire à un certain nombre de chefs principaux, de façon à retrouver aisément toutes celles qui se rapportent au même objet; noter ensuite toutes celles qui sont ambiguës ou obscures ou en contradiction les unes avec les autres » (VII, p. 140). Une fois établies les vérités principales, on descendra aux détails, se laissant guider par le principe que le texte reste partout cohérent avec lui-même. L'indice de sens second, enclencheur de l'interprétation, sera en conséquence non l'invraisemblance doctrinale, comme dans l'exégèse patristique, mais la contradiction *in praesentia*. « Pour savoir si Moïse a cru véritablement que Dieu était un feu ou s'il ne l'a pas cru, il ne faudra pas tirer de conclusion de ce que cette opinion s'accorde avec la Raison ou lui contredit mais seulement des autres paroles de Moïse » (VII, p. 141). Cette exigence de cohérence accuse encore le principe énoncé plus haut : c'est une nouvelle raison pour que le mot garde partout le même sens. Si l'on a établi le sens d'une phrase, « il faudrait dans l'interprétation de toutes les autres phrases, alors même qu'elles s'accorderaient avec la Raison, avoir égard au sens de celle-là » *(ibid.).*

*Historiques*

Le troisième groupe de contraintes porte sur la connaissance du *contexte historique.*

Troisièmement, cette enquête historique doit rapporter au sujet des livres des Prophètes toutes les circonstances particulières dont le souvenir nous a été transmis : j'entends la vie, les mœurs de l'auteur de chaque livre; le but qu'il se proposait, quel il a été, à quelle occasion, en quel temps, pour qui, en quelle langue enfin il a écrit. Elle doit rapporter aussi les fortunes propres à chaque livre : comment il a été recueilli à l'origine, en quelles mains il est tombé, combien de leçons différentes sont connues de son texte, quels hommes ont décidé de l'admettre dans le canon et enfin comment tous les livres reconnus canoniques par tous ont été réunis en un corps (VII, p. 142).

Les « circonstances », ou évidence externe quant au sens d'un livre, semblent se répartir ici sous trois chefs : l'objet livre, l'auteur et le lecteur. Le destin du livre décidera du degré de certitude que nous pouvons éprouver quant à l'établissement du texte. S'il faut connaître la vie et les mœurs de l'auteur, c'est qu'il existe un déterminisme de l'homme à l'œuvre, et la connaissance de l'un facilite la connaissance de l'autre. « Nous pouvons expliquer d'autant plus facilement les paroles d'un homme que nous connaissons mieux son génie propre et sa complexion spirituelle » (VII, p. 142). La connaissance du lecteur est importante aussi car elle décide du genre du livre, choisi en fonction de la question : pour qui écrit-on, et livre ainsi une clé pour son déchiffrement.

La recherche des circonstances ne devient jamais un but en elle-même; elle est soumise à un objectif supérieur qui est la compréhension du texte, l'établissement de son sens. Ce n'est pas le texte qui sert à connaître son auteur, mais la connaissance de l'auteur qui facilite la compréhension du texte. Cette connaissance est indispensable dans le cas où l'intention de l'auteur peut changer le sens du texte du tout au tout; ainsi dans un écrit ironique ou traitant du surnaturel. « Très souvent il arrive que nous lisions des histoires très semblables dans des livres différents et que nous en jugions très diversement par suite de la diversité des opinions que nous avons des auteurs. » Le Roland de l'Arioste, le Persée d'Ovide et le Samson de la Bible massacrent, tout seuls, des multitudes d'adversaires; Roland et Élie volent dans les airs : mais ces actes acquièrent des significations différentes du fait que l'intention de chaque auteur, distincte des autres, nous oblige à une interprétation particulière; l'intention agit comme ferait une indication de la tonalité dans laquelle doit être interprété un morceau de musique. « Nous ne nous persuadons cela qu'en raison de l'opinion que nous avons des auteurs » (VII, p. 151).

### Le vrai sens

Toutes ces techniques — linguistique, intratextuelle (ou structurelle), historique — sont nécessaires pour atteindre l'objectif ambitieux de l'interprétation selon Spinoza : l'établissement du *sens vrai* (ce qui est tout différent, on l'a vu, de : conforme à *la* vérité). Il prend il est vrai quelques précautions : le sens d'un passage peut être indécidable s'il y est question de choses « non percevables » qui « dépassent les limites de la créance humaine » (VII, p. 152, et Notes marginales, p. 341), et donc incontrôlables par la raison; ou si les mots sont expressément employés pour dire autre chose qu'ils ne signifient habituellement (« cela, on peut bien le conjecturer, non le déduire avec certitude des données fondamentales de l'Écriture », VII, p. 145). Mais en règle générale — c'est la récompense qu'on a à la suite de tant de contraintes, par opposition avec le laisser-aller opérationnel de l'exégèse patristique —, le sens que produit l'interprétation est le seul et le vrai : « Nous avons ainsi exposé une façon d'interpréter l'Écriture et nous avons démontré en même temps qu'elle était la voie unique et une voie sûre pour arriver à en connaître le vrai sens » (VII, p. 145-146).

## SUR L'ÉVOLUTION DE LA PHILOLOGIE

Le nom de philologie s'attache habituellement à des activités semblables par leur projet à celle de Spinoza, mais qui ne se sont institutionnalisées que plus tard. La continuité des deux démarches est cependant éclatante, et explique mon usage anachronique du terme, à condition qu'on entende par « philologie » une abréviation pour exégèse (ou interprétation) philologique. Continuité qui s'établit peut-être par une transmission réelle (l'intermédiaire étant Richard Simon) mais aussi et surtout par une analogie profonde des positions de principes. Continuité ne veut pas dire identité, cependant : la méthode philologique a évolué en même temps que ses présupposés. C'est ce qu'on pourra percevoir par un examen rapide de quelques textes représentatifs de la période conquérante de la philologie (c'est-à-dire le XIXe siècle) [1].

1. Je cite les textes suivants : F. A. Wolf, « Darstellung der Altertumwissenschaft nach Begriff, Umfang, Zweck und Wert », in F. A. Wolf et Ph. Buttmann (Hrsg.), *Museum der Altertumswissenschaft*, Bd. 1, Berlin, 1807; F. A. Wolf, *Vorlesungen über die Altertumswissenschaft*, Bd. 1, Leipzig, 1831; F. Ast, *Grundriss der Philologie*, Landshut, 1808; F. Ast, *Grundlinien der Grammatik, Hermeneutik und Kritik*, Landshut, 1808; A. W. Bœckh, *Encyclopädie und Methodologie der philologischen Wissenschaften*, Leipzig, 2e, 1886; G. Lanson, *Méthodes de l'histoire littéraire*, 1925; G. Lanson, *Essais de méthode, de critique et d'histoire littéraire*, 1965 (« La méthode de l'histoire littéraire »). L'histoire de J. Wach, *Das Verstehen*, t. I, 1926, n'est pas très utile si l'on peut avoir accès aux textes mêmes. *Geschichte der Philolo-*

Comme du temps de Spinoza, la philologie se définit par le refus du principe qui fonde l'exégèse patristique — à savoir que le sens est donné d'avance —, et par des contraintes qui ne pèsent que sur les opérations. La polémique engagée par Spinoza ayant été victorieuse, le débat a perdu beaucoup de son actualité. Néanmoins, Bœckh trouve encore nécessaire de dire :

> Il est tout à fait anhistorique de prescrire, dans l'interprétation de la Sainte Écriture, que tout doit être expliqué selon l'*analogia fidei et doctrinae;* ici, la mesure qui doit guider l'explication n'est pas elle-même fermement établie, car la doctrine religieuse née de l'explication de l'Écriture a pris des formes très différentes. L'interprétation historique doit établir uniquement ce que veulent dire les œuvres de langage, peu importe que ce soit vrai ou faux (p. 120-121).

Le sens, non la vérité : voilà qui est bien dans l'esprit de Spinoza.

### Le sens unique

Fière de ce renoncement au sens dicté par une doctrine de référence, la philologie revendique *l'objectivité du sens* qu'elle établit; ce n'est plus le sens par la vérité mais la vérité du sens. Depuis Spinoza, cette revendication n'a cessé de s'amplifier; mais elle n'a pas changé de nature. Wolf se révolte explicitement contre la tradition religieuse qui valorise une certaine pluralité des sens, la *fecunditas sensus* (il semble avoir en vue des opinions comme celles de saint Jean de la Croix), et affirme :

> Deux explications qui concerneraient le même passage, ou deux *sensus,* ne sont jamais possibles. Chaque phrase,

---

*gie* (1921), Leipzig, 1959, de Wilamowitz-Mœllendorff est une histoire de la connaissance de l'Antiquité, non de la méthode philologique. En revanche la récente *Einführung in die literarische Hermeneutik* de Peter Szondi (Francfort, 1975) est à bien des égards parallèle à la recherche conduite ici.

chaque suite de phrases n'a qu'un sens, même si on peut bien discuter de ce sens. Il peut être incertain ; néanmoins, pour celui qui cherche, il n'y en a qu'un seul (*Vorlesungen*, p. 282). Par ailleurs il est nécessaire que chaque passage n'ait qu'un *sens* (...). On présuppose un certain sens pour tout discours (*ibid.*, p. 295).

Cent ans plus tard, transposant la méthode philologique à l'histoire des littératures modernes (il n'est bien sûr pas le premier à le faire), Lanson retrouve des accents semblables : « Il y a dans tous les ouvrages de littérature, même dans la poésie, un sens permanent et commun, que tous les lecteurs doivent être capables d'atteindre, et qu'ils doivent d'abord se proposer d'atteindre. (...) Il y a une vérité accessible dans l'étude littéraire et c'est ce qui la fait noble et saine » (*Méthodes*, p. 41-42, 43).

Si les textes et les phrases n'ont qu'*un sens*, celui des mots tendra également vers l'unicité. Ainsi Ast : « Chaque mot a une signification originelle dont proviennent les autres... » (*Grundriss*, p. 14). Bœckh : « De façon naturelle un seul sens est à la base de toute forme linguistique et c'est de lui qu'on doit déduire toutes ses différentes significations » (p. 94).

*Le vrai sens*

S'il n'y a qu'un sens, il doit être possible de l'établir avec *certitude*, et la différence entre ceux qui échouent et ceux qui réussissent est du tout au rien. D'où une certaine emphase, sensible surtout chez Lanson, sûr non seulement d'avoir accès à *la* vérité, mais aussi de ce qu'elle n'est pas chez les autres. Dans une page écrite, il faut trouver « ce qui y est, tout ce qui y est, rien que ce qui y est » (*Méthodes*, p. 40). Accumulant ainsi des certitudes, l'histoire de la littérature épuise progressivement son champ d'études :

Il faut n'avoir guère suivi le mouvement des études littéraires dans ces dernières années, pour ne pas remarquer
que le champ des disputes se resserre, que le domaine de la
science faite, de la connaissance incontestée, va s'étendant
et laisse ainsi moins de liberté, à moins qu'ils ne s'échap-
pent par l'ignorance, aux jeux des dilettantes et aux partis
pris des fanatiques, si bien qu'on peut sans chimère pré-
voir un jour où, s'entendant sur les définitions, le contenu,
le sens des œuvres, on ne disputera plus que de leur bonté
et de leur malice, c'est-à-dire des qualificatifs sentimentaux
(*Méthodes*, p. 36).

Par opposition à l'historien de la littérature, le critique invente
ses interprétations — forcément fausses, puisqu'il n'y en a qu'une
de vraie. Ce faisant, il substitue, à une pensée de l'écrivain, ses
propres divagations. Le *credo* des historiens de la littérature est
à l'opposé : « Nous voulons être oubliés, et qu'on ne voie que
Montaigne et Rousseau, tels qu'ils furent, tels que chacun les
verra, s'il applique loyalement, patiemment son esprit aux
textes » (*Essais*, p. 47). Et qu'on n'oppose pas le critique qui a
des idées au tâcheron-philologue : Lanson rétorque, dans une
phrase emblématique : « Nous voulons nous aussi les idées.
Mais nous les voulons vraies » (*Essais*, p. 53). On aurait volon-
tiers soutenu, face à ce *credo*, que vouloir les idées vraies, c'est
ne pas les vouloir (ou dans les termes de Nietzsche : « Renoncer
aux jugements faux serait renoncer à la vie même, équivaudrait
à nier la vie »).
    Ce sens unique et scientifiquement garanti coïncide avec
*l'intention de l'auteur*. Ainsi Wolf : « L'herméneutique est l'art
de saisir les écrivains, par conséquent les pensées écrites ou
même seulement oralement exprimées d'autrui de la même
manière qu'il les a saisies lui-même » (*Vorlesungen*, p. 271).
Lanson est plus nuancé ici : même s'il n'existe pas de sens objectif
d'un texte (supposition qu'il avance dans ses derniers écrits),
tous les sens subjectifs ne se situent pas sur le même plan : « Il
ne serait peut-être pas exagéré de penser que le sens de l'auteur
est tout de même un sens privilégié auquel je puis donner une
attention particulière » (*Méthodes*, p. 42).

## L'interprétation servante

Les différences entre Spinoza et les philologues ne sont, jusqu'à présent, que quantitatives; mais la place même de la technique philologique ici et là marque une transformation plus profonde. On se souvient de la hiérarchie qui s'établissait chez Spinoza : son objectif premier, qui s'inscrit dans une tradition d'exégètes bibliques, est l'établissement du sens du texte; à cet effet, il utilise des techniques auxiliaires (linguistiques, structurelles, historiques). C'est cette hiérarchie qui sera renversée dans la tradition postérieure : *l'objectif principal devient la connaissance historique d'une culture* et celle-ci pourra se servir d'auxiliaires tels que l'interprétation des textes. De servante de l'herméneutique, la philologie devient peu à peu sa maîtresse.

Il est intéressant d'observer les différents stades de ce renversement. On peut situer le point de transition chez Ast, dont le texte reste ambigu à cet égard; il soumet l'interprétation des œuvres à la connaissance de l'esprit; mais cet esprit, à son tour, se révèle constitué des œuvres mêmes!

La philologie est l'étude du monde classique dans la totalité de sa vie — artistique et scientifique, publique et privée. Le centre *(Mittelpunkt)* de cette étude est l'esprit de l'Antiquité qui se reflète de la manière la plus pure dans les œuvres des anciens écrivains, mais qui laisse également ses traces dans la vie extérieure et particulière des peuples classiques; et les deux éléments de ce centre sont les arts, les sciences et la vie extérieure ou le contenu, et la représentation et le langage ou la forme du monde classique *(Grundriss, p. 1).*

Les œuvres ne sont que reflets et traces de l'esprit, mais l'esprit à son tour est fait d'œuvres : le reflet n'est rien d'autre que l'objet même qui se reflète.

Chez Wolf, l'ambiguïté disparaît, l'objet et son reflet ne sont plus identiques.

Les acquisitions séparées qu'on a mentionnées ne sont au fond que des préparations en vue de celle dont il est question à présent, et toutes les idées exposées jusqu'ici concourent à ce but principal comme à un centre. Mais ce but n'est rien d'autre que la connaissance de l'humanité antique elle-même, à travers l'observation d'une formation nationale organiquement développée et significative, observation qui est conditionnée par l'étude des vestiges anciens (*Darstellung*, p. 124-125).

La connaissance des œuvres (des « vestiges ») est soumise à celle de la formation nationale, laquelle à son tour n'est qu'un moyen pour connaître l'humanité antique.

Aussi Lanson, quand il formule l'objectif de l'histoire littéraire, peut-il ne plus mentionner le fait qu'elle vise à l'interprétation des œuvres (cette activité est confiée à une technique subalterne, l'explication des textes).

Notre métier consiste (...) à retenir, filtrer, évaluer tout ce qui peut concourir à former une représentation exacte du genre d'un écrivain ou de l'âme d'une époque (*Méthodes*, p. 34). Notre fonction supérieure est de conduire ceux qui lisent, à reconnaître dans une page de Montaigne, dans une pièce de Corneille, dans un sonnet même de Voltaire, des moments de la culture humaine européenne ou française (*Essais*, p. 33).

La lecture philologique d'une page ne vise plus l'établissement de son sens; cette page n'est qu'un moyen d'accès à un individu, un temps, un lieu. L'interprétation des textes est simplement l'un des outils mis au service de l'histoire des mentalités [1].

---

1. On objectera que l'objet de ce qu'on appelle la philologie a toujours été la connaissance historique globale et non l'interprétation des textes; que la philologie comme telle n'a donc pas changé. Mais une telle objection ne ferait que déplacer le problème : pourquoi est-ce précisément la philologie, et non l'herméneutique, qui se constitue à cette époque en discipline autonome et influente?

## Méthodes d'interprétation

Les formes de l'enquête philologique ont également évolué. Wolf signale comme entre parenthèses que l'interprétation peut être « grammaticale, rhétorique et historique » (*Darstellung*, p. 37); dans les *Vorlesungen*, il propose une autre répartition : « *interpretatio grammatica, historica, philosophica* » (p. 274). Les espèces constantes sont donc l'interprétation grammaticale et historique; la première établit le sens des phrases en elles-mêmes; la seconde, celui des énoncés, c'est-à-dire des phrases situées dans leur contexte (c'est la différence entre langue et discours); la différence est illustrée par l'exemple d'une lettre trouvée : « Que quelqu'un trouve dans la rue une lettre écrite avec des mots très clairs, il ne pourra quand même pas la comprendre entièrement car il ne connaît pas les circonstances immédiates concernant celui qui a écrit la lettre ou celui à qui elle est adressée » (*ibid.*, p. 294). Il comprendra le sens grammatical (celui des phrases) mais non le sens historique (celui des énoncés). Quant à l'interprétation philosophique, elle semble être une concession faite par Wolf aux interprétations du type exégèse patristique. « Après que le sens a été développé grammaticalement et historiquement, je peux demander : comment cette idée se conforme-t-elle à la vérité? » (*ibid.*, p. 275). Les deux premières interprétations cherchent le sens du texte, la troisième en juge la véracité; c'est pourquoi, ajoute Wolf, « elle est importante pour les écrits religieux » *(ibid.)*.

Ast, disciple de Schelling et de F. Schlegel, fait partie des théoriciens qui pensent tout à travers la triade : ceci, son contraire, et leur synthèse. Pour ce qui concerne les textes, ceux-ci ont, et une *forme* (linguistique) et un *contenu* ou être; la synthèse des deux, donne l'*esprit*. « Toute vie et toute vérité consistent en l'unité spirituelle de l'être et de la forme (...). Être et forme sont la pluralité dans laquelle se révèle l'esprit, l'esprit lui-même est leur unité » (*Grundriss*, p. 3). « Nous appelons esprit l'unité originelle de tout être » (*Grundlinien*, p. 174).

Il y a, en conséquence, trois types d'interprétation et trois seulement.

C'est pourquoi la compréhension des anciens écrivains est triple :
1. *historique*, par rapport au contenu de leurs œuvres, lequel peut être soit artistique et scientifique, soit antique au sens le plus large du mot;
2. *grammaticale*, à l'égard de leur forme ou langue, et de leur exposition;
3. *spirituelle*, en relation avec l'esprit de l'auteur individuel et de l'Antiquité entière. La troisième compréhension, la spirituelle, est la vraie et la supérieure, celle dans laquelle s'interpénètrent l'historique et la grammaticale, pour une vie unifiée. La compréhension historique reconnaît ce que *(was)* l'esprit a formé; la grammaticale, comment *(wie)* il l'a formé; la spirituelle reconduit le qu'est-ce que et le comment *(was und wie)*, la matière et la forme, à leur vie originelle et unifiée dans l'esprit *(Grundlinien*, p. 177).

L'interprétation spirituelle n'est pas quelque chose d'indépendant, elle est plutôt l'unification, et donc l'aboutissement, des deux méthodes précédentes.

La proximité des termes qui désignent, ici, les formes de la compréhension, avec ceux qui désignaient, dans la stratégie patristique, les sens de l'Écriture, pourrait nous amener à voir dans celles-là une simple métamorphose de celles-ci. La subdivision en forme, contenu et esprit ne rappelle-t-elle pas l'une des formulations les plus anciennes, celle d'Origène dans le *Traité des principes*, qui écrivait : « De même que l'homme est composé, dit-on, d'un corps, d'une âme et d'un esprit, de même aussi est composée la sainte Écriture, qui a été donnée pour le salut des hommes par la générosité de Dieu » (IV, 2, 4)? Mais à examiner le contenu de ces distinctions chez un Ast, on aperçoit toute la distance qui les sépare. Dans l'exégèse patristique, c'est le *sens* qui était historique; c'est la *méthode* nous conduisant à la découverte du sens qui l'est, dans la philologie. Dans un cas on codifie les résultats de l'interprétation, dans l'autre ses procédés.

C'est chez Bœckh que ces subdivisions seront établies avec le plus de détails et avec le plus grand souci de leur articulation. Il faut citer ici un long extrait de son exposé :

> Ce qui est essentiel pour la compréhension et pour sa manifestation, l'exégèse *(Auslegung)*, c'est la conscience de ce qui conditionne et détermine le sens et la signification du communiqué ou du transmis. On trouve d'abord ici la signification objective des moyens de communication, c'est-à-dire, dans les limites qui sont les nôtres, de la langue. La signification de ce qui est communiqué sera d'abord déterminé par le sens des mots en eux-mêmes, et ne peut donc être comprise que si l'on comprend la totalité des expressions communes. Mais quiconque parle ou écrit emploie la langue de manière particulière et spéciale, il la modifie selon son individualité. Pour comprendre donc quelqu'un, on doit prendre en compte sa subjectivité. Nous appelons l'explication linguistique du point de vue objectif et général, *grammaticale*, et celle du point de vue de la subjectivité, *individuelle*. Le sens de la communication est conditionné cependant encore par les circonstances réelles, au cours desquelles elle s'est produite et dont la connaissance est présupposée chez ceux à qui elle s'adresse. Pour comprendre une communication, on doit se mettre à leur place dans lesdites circonstances. Une œuvre écrite, par exemple, ne reçoit sa vraie signification qu'une fois mise en relation avec les idées courantes à l'époque où elle a été créée. Nous appelons cette explication par l'environnement *(Umgebung)* réel, interprétation historique (...). L'interprétation historique se rattache étroitement à la grammaticale, en ce qu'elle recherche comment le sens des mots en eux-mêmes est modifié par les circonstances objectives. Mais l'aspect individuel de la communication se modifie également par les circonstances *subjectives*, sous l'influence desquelles

elle se produit. Celles-ci déterminent la direction et le but du communicant. Il existe des buts de la communication qui sont communs à plusieurs; de là viennent certains genres, dans le langage les genres du discours. Le caractère de la poésie et de la prose réside, en dehors de leurs manières différentes, dans la direction subjective et dans le but de la représentation. Les buts individuels des auteurs particuliers se rangent à l'intérieur de ces distinctions générales : ils forment des subdivisions des genres généraux. Le but est l'unité supérieure idéale de ce qui est communiqué, but qui, posé comme norme, est une règle de l'art, et comme telle apparaît toujours imprimée dans une forme particulière, un *genre*. L'exégèse de la communication fondée sur cet aspect sera, pour cette raison, désignée au mieux comme une interprétation *générique;* elle se rattache à l'interprétation individuelle de la même manière que l'interprétation historique à la grammaticale (...). L'herméneutique c'est :
1. Comprendre à partir des conditions *objectives* de ce qui est communiqué :
*a*) à partir du sens des mots *en eux-mêmes* — interprétation *grammaticale;*
*b*) à partir du sens des mots *en rapport avec* les circonstances réelles — interprétation *historique.*
2. Comprendre à partir des conditions *subjectives* de ce qui est communiqué :
*a*) à partir du sujet *en lui-même* — interprétation *individuelle;*
*b*) à partir du sujet *en rapport avec* les circonstances subjectives, qui résident dans le but et dans la direction — interprétation *générique* (*Encyclopädie*, p. 81-83).

Les quatre formes d'interprétation selon Bœckh proviennent d'une matrice fondée sur deux oppositions : entre subjectif et objectif, et entre « isolé » et « en relation avec un contexte »; on pourrait les réécrire de la manière suivante :

|  | ISOLÉ | EN CONTEXTE |
|---|---|---|
| OBJECTIF | grammatical | historique |
| SUBJECTIF | individuel | générique |

L'interprétation philosophique de Wolf a disparu, comme relevant d'un principe exégétique autre; on peut supposer en revanche que l'interprétation générique reprend ce que Wolf désignait par le terme de « rhétorique » (bien qu'il fût très peu explicite là-dessus). L'interprétation spirituelle d'Ast est également absente, sans doute parce qu'elle ne se situe pas sur le même plan que les autres mais les englobe. On aura remarqué combien les suggestions de Bœckh restent actuelles, en ce qui concerne par exemple l'interprétation des genres comme contrats de communication, ou l'inclusion du contexte historique *dans* le sens du texte, etc.

Lanson accorde beaucoup moins d'attention à l'articulation des différentes techniques philologiques, mais on trouve néanmoins chez lui une suggestion dans ce sens : « [On établira] le sens des mots et des tours par l'histoire de la langue, la grammaire et la syntaxe historique. Le sens des phrases par l'éclaircissement des rapports obscurs, des allusions historiques ou biographiques » (*Essais*, p. 44). Les interprétations grammaticale et historique se calquent sur les dimensions syntagmatiques des segments interprétés, mots ou phrases (plutôt que sur langue et discours). C'est également à ces deux types d'interprétation que renvoient les procédés énumérés dans cette liste un peu ironique :

Étude des manuscrits, collation des éditions, discussion d'authenticité et d'attribution, chronologie, bibliographie, biographie, recherches de sources, dessins d'influence, histoire des réputations et des livres, dépouillement de catalogues et de dossiers, statistiques de versification,

147

listes méthodiques d'observations de grammaire, de goût, et de style, que sais-je encore? (*Méthodes*, p. 34-35).

Pour saisir d'une vue d'ensemble l'évolution des subdivisions philologiques et donc des conceptions touchant à la variété des sens, on peut essayer de réunir en un tableau unique les différentes répartitions résumées ici. Ce ne sera pas sans quelques dangers : les mêmes mots ne recouvrent pas les mêmes réalités, et celles-ci peuvent être, en revanche, évoquées par des noms différents; de plus, on l'a vu, les articulations entre les concepts varient, et donc le sens même des concepts. Risquons cependant ce tableau des méthodes d'interprétation, qui nous permettra une vue sur l'évolution de la philologie.

| SPINOZA | WOLF | AST | BŒCKH | LANSON |
|---|---|---|---|---|
| grammaticale | grammaticale | grammaticale | grammaticale | grammaticale |
| structurelle | | | | |
| historique | historique | historique | historique | historique |
| | | | individuelle | |
| | rhétorique | | générique | |
| | | spirituelle | | |

Même si certains rapprochements sont forcés, une conclusion se laisse clairement dégager : la forme d'interprétation qui a disparu depuis Spinoza est celle que j'ai appelée structurelle ou intratextuelle, c'est-à-dire l'étude de la cohérence du texte. La seule forme postérieure qu'on puisse lui comparer est l'interprétation spirituelle chez Ast. Mais les quelques traits communs ne permettent pas l'assimilation. Chez Spinoza, il s'agit d'une mise en relation des différents segments du texte, d'une recherche des contradictions et des convergences. Chez Ast, l'interprétation spirituelle coiffe les deux autres, elle combine en un tout les résultats des interprétations conduites séparément; il n'est pas du tout question d'une confrontation de segments du texte entre eux. Ast, à qui on doit la formulation la plus populaire du « cercle herméneutique », n'est pas indifférent au problème de la cohérence; mais il ne pense qu'au rapport entre partie et tout, non à celui, théorisé par Spinoza, entre partie et partie. Il n'y aura donc pas trace chez Ast des techniques suggérées par Spinoza.

L'évolution de ce que j'appelle philologie, depuis Spinoza jusqu'à Lanson, est claire : les différents changements vont tous dans le même sens. Le renversement hiérarchique de l'exégèse par ses servantes va de pair avec la disparition de l'interprétation « structurelle ». *La grande victime de cette évolution est l'analyse intratextuelle* : d'abord détrônée de sa position dominante et reléguée à un rôle d'auxiliaire, la recherche du sens du texte ne bénéficie plus d'une grande attention, et du coup sa conduite se trouve abandonnée à l'empirisme (à « l'explication des textes »), sans que la théorie prenne en charge l'élaboration de ses techniques.

Or — et c'est l'une des leçons un peu surprenantes de cette promenade historique —, aucune raison interne n'obligeait la philologie à exclure l'analyse intratextuelle : la cohabitation des différentes techniques chez Spinoza le prouve, s'il en était besoin. Exigences « grammaticales », « historiques » et « structurelles » appartiennent toutes à la même famille : ce sont des contraintes exercées sur les opérations auxquelles on soumet le texte dans la recherche de son sens; aucune de ces contraintes ne détermine d'avance, comme le faisait le principe de l'exégèse patristique, la direction dans laquelle doit s'orienter la recherche même.

Il ne faudrait pas abandonner ce chapitre de l'histoire sans faire état d'une critique à laquelle furent soumis plusieurs des principes philologiques qu'on vient de résumer, à l'époque même de leur première formulation : il s'agit de la doctrine de Schleiermacher, qui appartient historiquement à la période examinée (il avait suivi les cours de Wolf alors que Bœckh avait assisté aux siens) mais qui la transcende conceptuellement, et, plutôt que d'illustrer une stratégie particulière de l'interprétation, s'inscrit parmi les contributions à une théorie générale de l'interprétation et du symbolique; j'y ai fait plusieurs fois référence au cours de la première partie [1].

### Homogénéité des sens

Schleiermacher critique déjà l'idée même d'une subdivision de l'interprétation en grammaticale et historique (ou toute autre subdivision de ce genre). Car ce sont là, selon lui, dans le meilleur des cas, des *sources* différentes, qui contribuent à l'établissement *d'un sens*; mais aucunement *des* sens différents. La croyance en l'existence de sens séparés, l'un littéral, l'autre historique, le troisième philosophique, est un héritage indésirable de cette stratégie particulière de l'interprétation que fut l'exégèse patristique. Quels que soient les moyens pour établir le sens, celui-ci reste toujours de la même espèce et il n'y a pas lieu d'introduire dans l'herméneutique des catégories fondées sur la différence des techniques utilisées.

1. Je cite les textes de Schleiermacher d'après l'édition de H. Kimmerle, *Hermeneutik*, Heidelberg, Carl Winter, 1959. Quelques-uns d'entre eux se trouvent traduits en français dans l'utile étude de P. Szondi, « L'herméneutique de Schleiermacher », *Poétique*, I (1970), 2, p. 141-155, reprise dans son livre *Poésie et poétique de l'idéalisme allemand*, Paris, 1975, p. 291-315.

Aussi correcte que puisse être la chose, je voudrais quand même protester contre cette expression qui crée toujours l'illusion qu'interprétation grammaticale et historique sont, chacune, une chose bien particulière. (...) [Le philosophe-interprète] ne peut avoir pensé qu'à une seule chose : que dans une interprétation correcte tous les éléments différents doivent concorder dans un seul et même résultat (p. 155-156).

Le sens ne varie pas selon les moyens dont on se sert pour l'établir. En revanche, il y a lieu d'introduire une distinction qui tient à l'idée même que se fait Schleiermacher de la nature de son objet. Le sens, pour lui, n'existe que dans un processus d'*intégration*; l'acte d'interpréter (pris en un sens plus large que celui que je donne à ce terme) consiste à pouvoir inclure une signification particulière dans un ensemble plus vaste. Le mot isolé n'est pas encore objet d'interprétation (mais seulement de compréhension, pourrait-on dire); celle-ci commence avec la combinaison de plusieurs éléments signifiants. Or, un fragment signifiant, une phrase, peuvent être inclus dans des cadres différents; d'où une nouvelle subdivision dont la ressemblance avec celle des philologues qui lui sont contemporains est purement superficielle [1].

1. Tout au moins pour les textes cités auparavant. Un Ast aura adopté parfois une autre perspective, qui préfigure de près celle de Schleiermacher. A côté de sa subdivision en forme, contenu et esprit, il en propose une autre, entre la lettre, le sens et l'esprit du texte. L'esprit reste identique à lui-même dans les deux répartitions; mais la lettre inclut aussi bien l'interprétation grammaticale que l'interprétation historique. L'herméneutique du sens vient donc en plus des antérieures, et elle n'est rien d'autre que « l'explication de la signification d'un segment dans ses relations » (*Grundlinien*, p. 195). Ainsi le sens d'une même phrase sera différent selon les ensembles dans lesquels on l'intègre : « Le sens d'une œuvre et des segments *(Stelle)* particuliers provient en particulier de l'esprit et de la tendance de son auteur; seul celui qui les a saisis et s'en est familiarisé est en état de comprendre chaque segment dans l'esprit de son auteur *(Verfasser)* et d'en découvrir le vrai sens.

« Par exemple, un segment de Platon aura le plus souvent un sens différent de celui d'un autre, appartenant à Aristote, dont le sens et les mots seraient presque semblables (...). Ainsi non seulement un même mot, mais aussi des segments particuliers semblables ont un sens différent si leurs connexions sont différentes » (*ibid.*, p. 195-196). C'est cette même idée de l'importance des connexions qui domine la pensée de Schleiermacher.

*Interprétations grammaticale et technique*

Il existe deux contextes principaux auxquels on peut intégrer un énoncé particulier : il y a par conséquent deux formes d'interprétation de chaque texte, appelées par Schleiermacher *grammaticale* et *technique* (termes hérités, semble-t-il, de la tradition exégétique — le *Clavis* de Flacius (1567) — mais dont le sens est par lui détourné). Il ne serait pas abusif de comprendre la première comme inclusion reposant sur une référence à la mémoire collective (le contexte paradigmatique), la seconde, comme une inclusion reposant sur une référence au contexte syntagmatique. Dans le premier cas, l'énoncé est expliqué par un recours à la connaissance globale de la langue; dans le second, par un recours au discours dont l'énoncé fait partie, quelles que soient les dimensions de ce discours. Voici la formulation la plus nette de cette dichotomie : « Le point principal de l'interprétation grammaticale réside dans les éléments par lesquels on désigne l'objet central; le point principal de l'interprétation technique, dans la grande continuité *(Zusammenhange)* et sa comparaison avec les lois générales de la combinaison » (p. 56). D'une part, on confronte des éléments isolés avec l'inventaire des éléments disponibles (la langue); de l'autre, on étudie ces éléments dans leur combinaison (discours) et on les compare aux autres types de combinaison. D'où les deux grandes règles de l'interprétation :

> Premier canon : tout ce qui, dans un discours donné, doit être déterminé plus exactement, ne doit l'être qu'à partir de l'espace linguistique commun à l'auteur et à son public d'origine (...). Deuxième canon : le sens de chaque mot, dans un passage donné, doit être déterminé à partir de son insertion dans un environnement (p. 90, 95).

Cette opposition fondamentale en entraîne plusieurs autres. L'inscription dans un paradigme est foncièrement négative : elle est choix d'un sens à l'exclusion de tous les autres. Celle dans le syntagme est, au contraire, positive : il s'agit de prendre position à l'intérieur d'une combinaison avec d'autres éléments coprésents.

Il y a deux sortes de détermination du sens : l'exclusion à partir du contexte global et la détermination de position *(thetisch)* à partir du contexte immédiat (p. 42). La détermination à partir de [l'environnement] large est plutôt exclusive, celle à partir de l'environnement immédiat, plutôt de position (p. 66).

Le contexte discursif le plus large n'est pas le texte particulier mais l'œuvre entière d'un écrivain; d'où l'interprétation de l'opposition entre grammatical et technique par ces autres termes : langue et auteur. C'est ce qu'énoncent de nombreuses formulations de Schleiermacher.

P. 56 : Comprendre dans la parole et comprendre dans le parlant *(Sprache, Sprechenden)* (...). Oubli de l'écrivain dans la grammaticale et de la langue dans la technique. Jusqu'à l'extrême. P. 80 : Comme cet énoncé a une double relation à la totalité de la langue et au penser total de son auteur : donc, toute compréhension consiste en deux moments, comprendre l'énoncé comme extrait de la langue, et le comprendre comme un fait dans celui qui pense. P. 113 : Grammaticalement. L'homme disparaît avec son activité, et n'apparaît que comme organe du langage. Techniquement. Le langage disparaît avec sa puissance déterminante et n'apparaît que comme organe de l'homme au service de son individualité, tout comme là la personnalité au service du langage.

D'où il s'ensuit, entre autres, que les écrits anonymes, tel le mythe, ne connaissent pas d'interprétation technique : on ne sait pas à quoi les intégrer : « Il n'y a pas d'interprétation technique pour le mythe, car il ne peut provenir d'un individu... » (p. 85).

On serait tout à fait dans l'erreur en croyant que l'interprétation technique consiste à chercher l'homme à travers l'œuvre. Le projet global de Schleiermacher, c'est, comme chez Spinoza, de *subordonner toutes les techniques à la recherche du sens* — tout en établissant celui-ci par l'intégration dans un cadre supérieur—; il n'est donc pas question d'utiliser le texte pour connaître son auteur, mais plutôt, d'utiliser l'auteur pour connaître le texte. De plus, *l'auteur* est précisément identifié comme un ensemble de textes (quelle qu'en soit la nature) : *comme un contexte syntagmatique.* Toute tentative d'expliquer les textes par la vie de leur auteur est vouée à l'échec : « Des hommes aussi connus que Platon et Aristote, tout ce que nous savons de leur vie et de leurs relations nous expliquera-t-il aussi peu que ce soit pourquoi l'un a frayé telle voie dans la philosophie et l'autre telle autre? » (p. 150). Il s'ensuit un rejet du rôle privilégié accordé (dans le cadre de l'interprétation philologique) à l'intention de l'auteur, au sens que celui-ci voulait lui-même accorder à son texte; l'écrivain est même particulièrement aveuglé sur certains aspects de son travail, dont il est nécessairement inconscient — à moins qu'il ne se transforme, à son tour, en lecteur de ses propres œuvres (mais alors, son interprétation est seulement celle d'un lecteur).

P. 87-8 : Puisque nous n'avons aucune connaissance immédiate de ce qui est en lui, nous devons chercher à porter à la conscience ce qui pouvait lui rester inconscient, à moins que, réfléchissant, il n'ait été son propre lecteur. P. 91 : Nous [comprenons] le créateur mieux qu'il ne le fait lui-même, parce que bien des choses de cette espèce sont inconscientes en lui, qui doivent devenir conscientes en nous.

En cela Schleiermacher suit une idée de son ami Fr. Schlegel, qui écrivait : « *Critiquer* signifie comprendre un auteur mieux qu'il ne s'est compris lui-même » *(Literary Notebooks, 983).*

## Sens fondamental, sens particuliers

Le sens intentionnel n'est pas privilégié; ce qui ne veut pas dire qu'un segment a une infinité de sens, ou que toutes les interprétations sont également bienvenues. La position de Schleiermacher là-dessus est nuancée. Ce n'est que dans une perspective paradigmatique qu'on peut parler de l'unité originelle et essentielle du mot. Or, le sens global se détermine par l'intersection des deux perspectives, paradigmatique et syntagmatique ; et il est exceptionnel, pour ne pas dire impossible, que l'unité originelle, le sens fondamental, coïncide avec le sens tel qu'il se réalise dans un contexte particulier.

Tout emploi est particulier, et l'unité essentielle s'y mélange avec ce qui relève du hasard. L'unité essentielle n'apparaît donc jamais comme telle. On ne peut donc pas déterminer un emploi particulier, dans un cas donné, à partir d'un autre emploi particulier, à cause du présupposé que cela implique (p. 61). L'unité du mot est un schéma, une vue insensée. Il ne *faut* pas confondre tel emploi avec la signification. Tout comme le mot est affecté par la modification des environnements, sa signification l'est aussi (p. 47).

Cette attaque va directement à l'encontre d'un des axiomes de l'exégèse patristique qu'on retrouvait encore chez les philologues : celui de l'unité du sens, et donc de la possibilité d'expliquer le sens d'une occurrence du mot par celui d'une autre. Le sens fondamental du mot est une construction de l'esprit, il ne se trouve pas plus dans un énoncé que dans un autre.

Mais s'il ne faut pas s'attendre à observer le sens fondamental à l'intérieur d'un énoncé particulier, cela ne veut pas dire que chaque énoncé n'a pas un *unique* sens. Pas plus qu'on ne doit ériger le sens syntagmatique en sens paradigmatique, on ne saurait projeter sur le discours les propriétés de la langue. Les mots sont polysémiques hors contexte ; mais dans un énoncé particulier, ils prennent un sens précis. C'est pour cette raison que Schleiermacher refuse d'accorder un statut particulier aux expressions métaphoriques. L'illusion d'un sens métaphorique, différent des autres, provient de ce qu'on examine un fait de discours avec des instruments appropriés à la langue. A l'intérieur de l'énoncé, les mots ont un sens déterminé, qui est toujours de même nature ; seule, la confrontation du sens de l'énoncé avec celui des éléments qui le composent, donc du sens discursif avec le sens linguistique, crée l'impression d'une transposition des sens.

Les mots pris au sens figuré gardent leur signification propre et exacte et n'exercent leur effet que par une association d'idées sur laquelle compte l'écrivain (p. 59). A y voir de plus près, l'opposition entre sens propre et sens impropre disparaît (p. 91).

De même pour les textes entiers : il n'existe pas de textes allégoriques, différents des autres.

Si un segment doit être entendu allégoriquement, le sens allégorique est le sens unique et simple du segment, car il n'en a aucun autre; si quelqu'un voulait le comprendre historiquement, il ne reproduirait pas le sens des mots car il ne leur laisserait pas la signification qu'ils ont dans la continuité du segment; tout comme si on interprétait allégoriquement un segment qui doit être entendu autrement (p. 155).

Trouver le sens littéral d'un passage allégorique, c'est trouver le sens des éléments qui le constituent, sans tenir compte de la combinaison qu'ils forment. Or, le sens se détermine par la combinaison dont il fait partie; il est donc erroné de le considérer comme indécis et arbitraire.

Reste que les combinaisons dont un élément linguistique peut faire partie sont en nombre *infini;* donc le sens lui-même est infini; et l'interprétation est un art (comme le disait déjà Fr. Schlegel : « La philologie est *art* et non science ») :

L'interprétation est art. Car il y a partout construction de ce qui est fini et déterminé à partir de ce qui est infini et indéterminé. Le langage est infini parce que chaque élément peut être déterminé par les autres de façon particulière. De même pour [l'interprétation] psychologique. Car toute vue *(Anschauung)* pour soi est infinie (p. 82).

La rigueur herméneutique ne se mue pas ici en scientisme positiviste.

# Quelques conclusions
# historiques et typologiques

Je voudrais m'interroger, pour conclure, sur la signification historique de l'opposition que j'ai proposée, entre exégèse patristique et philologie. Cette confrontation de deux pratiques, choisies parmi tant d'autres, n'est-elle pas arbitraire? Mais il ne s'agit pas de n'importe quelles pratiques : aucune autre ne peut leur être comparée, que ce soit pour le prestige, la durée de leur règne ou l'influence qu'elles ont exercée. Ces deux exemples sont donc plus que des exemples : ce sont les deux stratégies interprétatives les plus importantes de l'histoire de la civilisation occidentale.

## Le renversement : quand, pourquoi

Peut-on dire, alors, que la stratégie philologique se soit constituée seulement à la période examinée ici, entre Spinoza et Wolf, en gros entre la fin du xviie siècle et le début du xixe? On sait que les témoignages sont nombreux qui prouvent l'existence de techniques philologiques depuis la Haute Antiquité, et plus particulièrement depuis l'école d'Alexandrie. Mais, en histoire des idées, on est obligé de distinguer entre la première formulation d'une thèse et son avènement au sens proprement historique. Un long chemin sépare l'énonciation marginale d'une idée et la mise en place d'une doctrine ou, si l'on préfère, le jour où une idée est proférée et celui où elle est entendue; or, l'histoire des idées coïncide avec celle de la réception des idées, non avec celle de leur production.

De même pour l'histoire de l'herméneutique. Les règles et les techniques codifiées en programme par Spinoza ont existé, en pratique et en théorie, bien avant lui, dans l'exégèse chrétienne et dans la glose rabbinique. Mais elles n'étaient jamais devenues un programme de combat (elles ne le pouvaient pas); la meilleure preuve en est, justement, leur coexistence avec l'exégèse patristique. A partir du moment où Spinoza formule son programme, la coexistence n'est plus possible : l'une des deux pratiques doit disparaître, de ce terrain particulier tout au moins; et c'est ce qui se produit, la philologie sortant victorieuse du combat. Il y a donc bien un fait historique, qui est le remplacement d'une stratégie par une autre; les deux peuvent exister depuis toujours, et pour toujours; il n'y en a pas moins un conflit dont l'inscription historique est suffisamment précise. Et si l'on ne veut pas expliquer, ce qui est bien mon cas, l'histoire des idées par les seules relations des idées entre elles, il faut s'interroger : quels facteurs historiques ont rendu possible le renversement de l'exégèse patristique par la philologie, à cette époque-là précisément?

Parmi tous les événements contemporains, lesquels choisira-t-on, pour les mettre en corrélation avec le changement constaté dans l'histoire de l'herméneutique? Pour trouver une réponse, on doit commencer par reconduire l'opposition entre exégèse patristique et philologie à ses termes de base. La première repose sur la possibilité de disposer d'une vérité admise par tous, qu'on a appelée pour simplifier : la doctrine chrétienne. La seconde apparaît comme une réaction de l'homme à un monde où il n'y a plus d'étalon universel. Dans un monde hiérarchisé, dominé par une vérité absolue (et par ses détenteurs), il suffit de confronter chaque objet particulier à une seule échelle de valeurs immuable, pour que son intégration (et donc son interprétation) soit engagée. Dans une société démocratique au contraire, où chacun peut — en théorie — réclamer pour lui la vérité, il faut faire peser des contraintes de méthode — et non plus de contenu — sur le déroulement même de chaque opération; le relativisme des valeurs doit être compensé par une codification méthodologique.

Or, c'est très précisément ce renversement qui se produit en

Europe à l'époque qui nous intéresse. Pour le dire en une phrase, et sans aucune prétention de rigueur historique, le monde clos de la société féodale et chrétienne fait place aux nouvelles sociétés bourgeoises, proclamant l'égalité des individus; aucune valeur nouvelle ne vient jouer le rôle, par exemple, de la doctrine chrétienne dans l'ancien système : ce n'est pas d'une redistribution des rôles qu'il s'agit, mais d'un nouveau scénario. Mieux : rapprochant deux chaînons éloignés d'une chaîne de relations néanmoins unique, je dirai que ce n'est pas un hasard si la doctrine philologique est née dans une des premières villes bourgeoises d'Europe, Amsterdam. Il fallait la tolérance de la nouvelle société capitaliste pour que Spinoza puisse ériger en programme ce qui n'avait été jusqu'alors que pratiques souterraines.

Telle est d'ailleurs l'argumentation développée par Spinoza lui-même pour justifier sa nouvelle méthode à l'intérieur du *Traité théologico-politique.* « Nous pouvons montrer que notre méthode d'interprétation de l'Écriture est la meilleure. Puisqu'en effet la plus haute autorité appartient à chacun pour interpréter l'Écriture, il ne doit y avoir d'autre règle d'interprétation que la Lumière Naturelle commune à tous, nulle lumière supérieure à la nature, nulle autorité extérieure » (VII, 158). Sa méthode est la meilleure parce qu'elle permet à chacun de mener le travail d'interprétation sans référence à une valeur commune et absolue. La défense de la méthode philologique s'égale ici à une proclamation de la liberté et de l'égalité des hommes. L'avènement de la philologie devait se produire à cette époque-là, et il ne pouvait avoir lieu à aucune autre.

*Typologie des stratégies*

Exégèse patristique et philologie sont deux types de stratégie interprétative. On pourrait se demander aussi si ce sont *les seuls types* possibles, et comment ils s'articulent entre eux : on passerait alors de la perspective historique à la typologie.

Interpréter consiste toujours à mettre en équivalence deux tex-

159

tes (dont le second peut ne pas être proféré) : celui de l'auteur, celui de l'interprète. L'acte d'interprétation implique donc nécessairement deux choix successifs : imposer ou ne pas imposer des contraintes sur l'association des deux textes; au cas où on le fait, les attacher au texte de départ, au texte d'arrivée ou au parcours qui les relie.

*Ne se donner aucune contrainte* concernant l'acte interprétatif, signifie qu'on se place à la limite de l'interprétation, dans ce qu'on appelle parfois avec condescendance la « critique impressionniste ». L'exemple le plus caractéristique de ce comportement est la parole en association libre du patient, sur le divan psychanalytique. Ce n'est pas que des règles d'association n'existent pas; mais elles ne sont pas explicitées, ce qui permet justement ici le surgissement de l'« inconscient ». D'habitude, plutôt que de le considérer comme une interprétation du « texte de départ », on aura tendance à traiter le « texte d'arrivée » lui-même comme objet de l'interprétation.

*Les contraintes* peuvent peser *sur le seul choix du texte de départ* sans davantage de règles portant sur d'autres points. Cette attitude commande en particulier la pratique du symbolisme non verbal : telles sont ces mantiques qui choisissent strictement la matière interprétée, lignes de la main ou vols d'oiseaux, entrailles animales ou disposition des astres. Mais on peut également observer ce type de stratégie dans l'interprétation du symbolisme verbal : ainsi, quand nous déclarons que seules les œuvres littéraires méritent d'être analysées.

L'une comme l'autre de ces démarches, bien que possibles et même fréquentes, ne jouent pas un rôle important dans l'histoire de l'herméneutique, sans doute parce qu'elles laissent encore une telle marge de liberté dans l'interprétation, qu'on ne peut pas parler avec elles de stratégie au sens strict; il n'y a pas d'école herméneutique qui se contente de si peu d'exigences. Les deux types d'interprétation qu'en revanche on trouve abondamment dans l'histoire de l'herméneutique, correspondent aux deux possibilités restantes : imposer des *contraintes sur les opérations* qui relient texte de départ et texte d'arrivée, ou *sur le texte d'arrivée* lui-même. Deux grands types d'interprétation : ceux auxquels j'ai donné précisément le nom d'interprétation opérationnelle (telle la philologie) et d'interprétation finaliste (telle l'exégèse patristique). Philologie et exégèse patristique ne sont donc pas seulement deux exemples de stratégie interprétative; elles représentent les deux grands types de stratégie possible. Chacun de ces types possède naturellement d'autres représentants : pour s'en apercevoir, il suffit de changer, dans un cas, la nature des contraintes opérationnelles, dans l'autre, celle des contenus auxquels on aboutit obligatoirement.

Pour prendre des exemples plus proches de nous dans le temps que ne l'étaient l'exégèse patristique et la philologie, on a affaire à des interprétations *finalistes* dans le cas de la critique *marxiste* ou de la critique *freudienne.* Dans celle-ci comme dans celle-là, le point d'arrivée est connu d'avance, et ne peut être modifié : ce sont des principes tirés de l'œuvre de Marx ou de Freud (il est significatif que ces espèces de critique portent le nom de leur inspirateur; il est impossible de modifier le texte d'arrivée sans trahir la doctrine, donc sans l'abandonner). Quelle que soit l'œuvre analysée, elle illustrera, au termes du parcours, les postulats. Il va de soi que cette parenté globale s'accompagne de nombreuses différences qui ne sont pas à négliger : dans l'optique patristique, *certains* textes choisis (les textes sacrés) *affirment* la vérité chrétienne; dans celle du marxisme, *tous* les textes *témoignent* de la vérité marxiste.

Un exemple moderne d'interprétation *opérationnelle* est ce qu'on appelle *l'analyse structurale,* telle qu'elle a été pratiquée sur les mythes par un Lévi-Strauss ou par un Detienne, sur la poésie par Jakobson et par Ruwet. Ce n'est plus le résultat qui est donné d'avance, c'est la forme des opérations auxquelles on a droit de soumettre le texte analysé. Celles-ci ne différant d'ailleurs guère du programme énoncé par Spinoza : philologie et analyse structurale en réalisent simplement des parties différentes. On a vu que la philologie avait peu à peu omis la rubrique « relations intratextuelles »; l'analyse structurale met, elle, souvent entre parenthèses le contexte historique; la différence est, une fois de plus, d'*accent* et d'*insistance,* non de structure.

## Reformulation de l'opposition

On peut se demander cependant si ces stratégies de l'interprétation sont réellement ce pour quoi elles se donnent. La question s'est posée, notamment, aux commentateurs de Spinoza, qui ont voulu savoir si sa revendication d'une interprétation libre de toute idéologie était réalisée dans son œuvre même, puisque, à côté des déclarations de principe, les pages du *Traité théologico-politique* contiennent de nombreuses analyses concrètes de la Bible. La réponse est unanime. I. Husic écrit : « Spinoza tente de montrer que la Bible concorde avec sa philosophie, tout comme Maïmonide essayait de montrer que la Bible concorde avec la philosophie d'Aristote », et S. Zac : « Spinoza... lit l'Écriture de telle façon qu'on devine en filigrane les conséquences de sa propre philosophie. (...) Il... pèche par le même défaut qu'il reproche à Maïmonide : il explique allégoriquement les textes et repense le christianisme à la lumière de sa propre philosophie [1]. » Malgré les professions de foi philologique, l'interprétation de Spinoza est donc aussi finaliste que celle de ses adversaires : quel que soit le texte analysé, il illustre le spinozisme — Réciproquement, saint Augustin a beau affirmer que seul compte le point d'arrivée, non le parcours emprunté, il n'en reste pas moins que, consciemment ou non, lui comme les autres fondateurs de l'exégèse patristique favorisent ou écartent certains types d'opérations interprétatives; ils le font, même si ce sont seulement d'autres qui plus tard codifieront explicitement ces pratiques.

L'opposition des deux stratégies interprétatives ne disparaît pas pour autant, mais se trouve placée sur un autre plan. Aucune interprétation n'est libre de présupposés idéologiques, et aucune n'est arbitraire dans ses opérations. La différence demeure cependant dans la distribution de la partie éclairée et de la partie obscure de l'activité. Ceux qui pratiquent l'interprétation opéra-

---

1. I. Husic, *Philosophical Essays*, Oxford, 1952, « Maïmonide and Spinoza on the interpretation of the Bible », p. 158; S. Zac, *Spinoza et l'interprétation de l'Écriture*, Paris, 1965, p. 174, 193.

tionnelle, que ce soit philologie ou analyse structurale, mus par leur prétention scientifique, oublient la présence d'une idéologie (qui, pour être souvent de peu de portée, n'en existe pas moins) et concentrent leur attention sur les exigences de méthode; d'où une inévitable prolifération d'écrits méthodologiques. Les praticiens de l'interprétation finaliste, à leur tour, négligent la nature des opérations auxquelles ils se livrent, et se contentent d'énoncer des principes qu'ils croient illustrés par tous les textes analysés. Répartition inégale, donc, des zones d'ombre et de lumière, de refoulement et d'explicitation, plutôt que présence exclusive d'une espèce d'exigences ou d'une autre. Inégalité d'insistance seulement, responsable pourtant des vicissitudes de l'histoire de l'herméneutique.

## Ma stratégie?

Une dernière question que je voudrais poser avant de clore mon parcours : à supposer qu'on admette la détermination historique suggérée plus haut, comment expliquer la *coexistence* des deux types de stratégie — ainsi, aujourd'hui, de l'analyse structurale et de l'analyse marxiste? Que vaut le déterminisme, si les mêmes causes ne produisent pas toujours les mêmes effets? Et, encore plus concrètement : où me placer moi-même, dans cette dichotomie de méthode et de contenu, puisqu'il est évident que, lisant les auteurs du passé, je suis bien engagé dans une activité interprétative? Ou même : dans quel lieu doit-on se situer soi-même, pour être en état de décrire *toutes* les stratégies interprétatives?

La réponse à ces questions serait à chercher, attentivement et patiemment, dans la direction suivante : la détermination entre stratégies de l'interprétation et histoire sociale passe par un relais essentiel, qui est l'idéologie elle-même. Ce n'est pas le commerce des marchands d'Amsterdam qui fait naître la philologie; c'est l'idéologie de l'expansion capitaliste qui sera une condition décisive du renouveau herméneutique. C'est, de même, la coexistence des idéologies dans notre monde — pour parler vite, et, pour ce qui nous concerne, d'une idéologie individualiste et d'une idéologie collectiviste — qui est la condition nécessaire de la coprésence actuelle des stratégies interprétatives. Et c'est mon destin historique, si j'ose dire, qui m'oblige à rester dans une double extériorité, comme si le « dehors » avait cessé d'impliquer un « dedans ». Ce n'est pas une supériorité, ni forcément une malédiction, mais bien plutôt un trait constitutif de notre temps précisément, que de pouvoir donner raison à chacun des camps opposés, et de ne pas savoir choisir entre eux : comme si le propre de notre civilisation était la suspension du choix et la tendance à tout *comprendre* sans rien *faire*.

# Index des noms d'auteurs

# Table

FIRMIN-DIDOT S. A. PARIS-MESNIL
D.L. 4e TR. 1978. no 4999 (3121)

# DANS LA MÊME COLLECTION

TZVETAN TODOROV
Introduction à la littérature fantastique
*Coll. Points*

Poétique de la prose
Théories du symbole
Les Genres du discours

VLADIMIR PROPP
Morphologie du conte
*Coll. Points*

RENÉ WELLEK ET AUSTIN WARREN
La Théorie littéraire

PAUL ZUMTHOR
Essai de poétique médiévale
Langue, Texte, Énigme
Le Masque et la Lumière

ANDRÉ JOLLES
Formes simples

GÉRARD GENETTE
Figures III
Mimologiques

NICOLAS RUWET
Langage, Musique, Poésie

ROMAN JAKOBSON
Questions de poétique

CLAUDE BREMOND
Logique du récit

HARALD WEINRICH
Le Temps

JEAN-PIERRE RICHARD
Proust et le Monde sensible

HÉLÈNE CIXOUS
Prénoms de personne

PHILIPPE LEJEUNE
Le Pacte autobiographique